LA
DISSERTATION

LA DISSERTATION

Du lieu commun au texte de réflexion personnelle

• Francine Thyrion •

«entre guillemets»

DUCULOT

D 1996/0074/17   ISBN 2-8011-1137-6

INTRODUCTION

I. REPÈRES HISTORIQUES

La dissertation : un genre littéraire qui trouve son origine dans l'antiquité classique et qui a une longue tradition scolaire.

- Le mot apparaît en 1645, mais dès l'antiquité, les élèves de «l'école secondaire» (de grammaire et du rhéteur) devaient développer des maximes d'hommes célèbres selon un schème invariable : éloge de l'auteur, paraphrase ou explication, arguments favorables, analyse du contraire, comparaison, exemple, témoignages analogues, conclusion ou exhortation.

- Le moyen âge, par manque de moyens rapides et économiques d'écriture, connut surtout les thèses présentées et discutées oralement.

- A la fin du XVIIe siècle, en 1666, Saint Evremond écrivit une *Dissertation sur l'Alexandre de Racine* et, en 1669, Boileau publiait une *Dissertation critique sur l'aventure de Joconde*. Le succès de ces ouvrages mit à la mode ce nouveau genre littéraire fait de courts mémoires sur des problèmes de critique ou d'érudition. Dans les universités, on prit bientôt l'habitude de requérir des candidats une dissertation écrite appelée thèse ou mémoire. Dans l'enseignement secondaire, où elle a remplacé le discours comme exercice scolaire (en rhétorique), elle est en usage depuis la seconde moitié du XIXe siècle.

II. CARACTÉRISTIQUES DE LA DISSERTATION

- *Son but :* l'apprentissage d'une forme de discours.

Avant tout exercice scolaire, elle vise à faire acquérir, par les élèves de l'enseignement secondaire général et par les étudiants de lettres, une maîtrise dans l'exposé écrit, cohérent, précis et le plus rigoureux possible, de leur pensée sur un sujet donné.

La longue histoire de ce genre a connu des moments de sclérose dus à une trop grande rigidité. Dans ses objectifs et sa finalité, la dissertation, abordée avec souplesse, a cependant un caractère formatif spécifique pour ceux qui, par la place qu'ils occupent dans le champ social, ont un rôle à jouer dans les débats d'idées. Au niveau universitaire, elle constitue, par ailleurs, une initiation à la recherche.

- *Son support :* le texte écrit non littéraire.

Contrairement à la communication orale qui permet une interaction entre les locuteurs, elle vise *une communication différée*. Elle doit donc contenir tous les éléments nécessaires à sa bonne compréhension et être écrite dans une langue qui limite au maximum les possibilités d'interprétations différentes (par opposition au langage littéraire).

- *Sa visée :* la réflexion.

Exercice intellectuel de réflexion, la dissertation suppose une phase de recherche, de production d'idées en rapport précis avec le sujet et étayées par des faits, faute de quoi les idées restent vagues et générales.

- *Son propos :* des sujets de controverse.

La dissertation concerne le plus souvent des sujets pour lesquels une réponse unique et définitive n'existe pas. Elle suppose donc des décisions, des choix raisonnés de la part de celui qui l'entreprend, ces choix n'étant pas exclusifs d'autres, mais posés à un moment donné, au terme d'une démarche limitée dans le temps et dans l'espace.

Utilité ou gratuité de l'art ?

Le rôle des médias dans la société.

- *Son domaine :* le plausible, le vraisemblable (par opposition à la certitude : voir ci-dessous).

- *Sa démarche :* l'argumentation.

La dissertation n'est ni un texte littéraire, parce qu'elle évite le jeu sur le sens des mots, la pluralité des interprétations et le recours explicite à l'imaginaire, ni un discours scientifique : celui-ci est régi par des règles, des lois et s'appuie sur des faits totalement vérifiables, il est impersonnel et rigoureux parce qu'à l'abri des influences du langage, des émotions, du lieu et du moment où il s'exerce, du rôle et des circonstances de la communication. Elle relève dans sa démarche, de *l'argumentation* :

- elle implique, dans son élaboration, l'interaction des esprits ;
- elle suppose un accord et des choix concernant le sens et l'utilisation des mots : cet accord et ces choix sont en effet partiellement tributaires du contexte (celui du sujet et celui des interlocuteurs) ;
- elle n'aboutit pas à des certitudes, mais s'efforce d'atteindre le probable, le plausible, voire le préférable.

- *Ses sources :* cognitives, herméneutiques et affectives.

Nous élaborons les raisons (ou indices de preuves) qui nous font pencher en faveur de telle ou telle position, à partir de trois sources principales :

- notre culture, notre histoire, nos connaissances et nos compétences techniques (d'où l'intérêt d'élargir et d'approfondir cet aspect cognitif) ;
- notre manière de penser (habitudes de raisonnement, logique, expérimentations). L'apport des sciences humaines et la référence constante au réel sont susceptibles d'affiner nos références dans ce domaine ;
- notre affectivité (émotions et sentiments) influence nos choix les plus rationnels. En être conscient et chercher à clarifier ce substrat subjectif facilite le dialogue des idées.

- *La dissertation comme recherche personnelle d'une plus grande vérité*

Démarche et raisonnement visant à clarifier (expliquer) des choix, dans le respect de la réalité considérée et des impératifs de la langue, la dissertation s'oppose radicalement aux discours qui, au service d'intérêts particuliers (politiques, idéologiques, publicitaires ou autres), visent avant tout la *persuasion,* c'est-à-dire l'adhésion de l'interlocuteur à des affirmations, et cela, par la séduction, à partir des besoins, des désirs, des opinions de celui à qui l'on s'adresse. Les sophistes ont, parmi les premiers, développé cet art de discuter comme logique mise au service d'intérêts particuliers. Si un souci de convaincre se manifeste dans la dissertation, c'est à partir d'une honnêteté intellectuelle toujours à affiner.

La démarche proposée ici tend donc, avec toutes les nuances que ce verbe permet, vers le pôle de la démonstration plutôt que vers celui de la persuasion.

De manière synthétique, on peut préciser comme suit les différences entre ces deux types de procédures d'argumentation :

- alors que la démonstration vise à convaincre par la rigueur du raisonnement à partir de faits vérifiables, la persuasion le fait par la séduction, à partir des besoins, des désirs et des opinions ;

- du côté de la démonstration, on aura un enchaînement de propositions qui suscite l'approbation en vertu d'un principe de non-contradiction et de conséquence logique, alors que la persuasion vise à provoquer l'adhésion à des affirmations en vertu d'une confiance acquise par le destinateur et accordée par le destinataire ;

- par la démonstration, on recherche une concordance entre la pensée et le réel (le vrai), alors que, par la persuasion, on recherche une concordance entre la pensée du destinateur et celle du destinataire (l'assentiment) ;

- le raisonnement démonstratif est relativement indépendant des circonstances de la communication ; les marques du *je* et du *tu* tendent à s'effacer. Le discours persuasif par contre, mobilise les opinions, l'affectivité, les valeurs et les aspirations dans des circonstances de communication précises ; le *je* et le *tu* sont présents ;

- dans le premier, on aura une prédominance de la fonction référentielle à des fins conatives (d'action sur le destinataire) ; dans le second, une prédominance de la fonction expressive à des fins conatives également[1].

• *Un genre qui se situe entre l'essai et l'écrit académique*

La dissertation est proche de l'essai par la part faite à la culture personnelle et aux options individuelles dans la compréhension d'une problématique ainsi que dans le choix des arguments.

---

1. *Voir Français 5/6,* tome B. p. 34-35. (Biblio. 20).

Elle est proche de l'écrit académique, surtout à l'université, par la rigueur postulée tant dans l'analyse et la délimitation du sujet que dans la structuration du raisonnement et le recours aux faits.

Ni discours universel ni parole avant tout subjective, la dissertation, comme l'*essai*, exprime la recherche d'un sujet individuel qui tente de situer sa propre parole dans la multitude des discours passés et présents[1].

---

1. D'après l'*Encyclopaedia Universalis* (pp. 1197-1198, Biblio. 52) le «refus du pédantisme, de l'esprit de sérieux» est présenté comme un des traits essentiels de l'essai. «Seconde signification, liée à la première : l'essai se donne comme une épreuve de soi, une expérience dont le résultat sinon la visée est de prendre la mesure de sa pensée, de se connaître soi-même à travers ce qu'on écrit» et enfin, «l'essai désigne des qualités humaines qu'on demande à trouver à travers un style, un refus du système, une bonhomie souriante, une acceptation des contradictions, une précision sans facilités, bref, l'intelligence».

On admettra que ces caractéristiques ne sont pas des moindres et qu'elles impliquent une réelle maturité de pensée et d'écriture. C'est pourquoi, il nous paraît fallacieux de vouloir utiliser l'essai comme une arme de combat pour abattre la dissertation (voir *Enjeux*, n° 33, pp. 114 et sv., Biblio. 53). Il serait sans doute plus pertinent de chercher à préciser les moyens par lesquels on peut aider les apprenants à élaborer une pensée personnelle qui fasse droit à une rigueur intellectuelle de base et aux impératifs de la communication écrite ; les aider aussi à devenir plus conscients des ressources langagières disponibles et de ce qui fait le style.

ORGANISATION DU TRAVAIL EN ÉTAPES

La dissertation suppose des opérations mentales complexes :

1. analyse et compréhension du sujet ;
2. recherche de faits et d'idées en vue d'expliquer, de préciser, de nuancer... un point de vue ;
3. élaboration, à partir de tous ces éléments, d'une synthèse cohérente qui s'inscrit exactement dans la perspective proposée (construction d'un plan détaillé).

Elle suppose aussi un travail de recherche langagière afin d'aboutir à une expression claire, précise et efficace, dans un texte bien articulé. Enfin, sa présentation doit être soignée et ne pas faire obstacle à la communication.

L'élaboration d'une dissertation s'effectuera donc par étapes[1] qui constituent chacune un moment important et spécifique du travail.

---

1. Dans les trois premiers chapitres, notre approche utilise certains éléments de la méthode et du processus mis au point au Québec par MM. Boissonnault, Fafard et Gadbois (Biblio. 30). Cet ouvrage québécois, conçu de manière très analytique et progressive, est centré, pour ses nombreux exemples, autant sur la littérature et l'histoire du Québec que sur la littérature générale.

A
Analyse du sujet

I. LES SUJETS DE DISSERTATION

1. *Domaine*

Les sujets de la dissertation telle qu'elle est visée ici[1] concernent toujours *un domaine plus ou moins délimité de l'activité sociale et culturelle.* La pratique de ce genre suppose donc un intérêt pour des questions très diverses – intérêt qui peut ne pas apparaître d'emblée – et une réelle base de culture générale qui, elle-même, se précisera et s'étoffera au fil d'un travail continu. Cette variété des sujets ne doit pas laisser supposer que l'on aboutit à un éparpillement. Au-delà des sujets particuliers, il s'agit d'apprendre à penser en dépassant les idées reçues et à former à l'analyse des faits. Le professeur de français peut, dans ce domaine, jouer un rôle privilégié : n'est-il pas aussi celui qui questionne son temps et aide les jeunes à se repérer dans les évolutions qu'il propose, dans les grandes problématiques qui l'agitent ?

---

1. On l'aura compris, nous ne visons pas la dissertation au sens de *mémoire* ou de *thèse.*

2.   *Portée*

Les sujets de dissertation sont en général *contraignants,* aussi bien en ce qui concerne la réalité à traiter qu'en ce qui concerne le point de vue à envisager et l'orientation à donner à la démarche.

a) **La réalité à traiter, ce dont il est question,** est la donnée centrale du sujet; elle peut être désignée de différentes manières (un nom propre, un terme particulier, général ou collectif, abstrait ou concret). Souvent, il sera nécessaire de préciser ce qu'elle englobe, surtout si elle est désignée par un ou des termes abstraits. Ainsi, dans le sujet suivant, la réalité à traiter est «notre civilisation», notion qui devra être cernée et ses composants précisés pour pouvoir traiter la question.

> Précisez et évaluez les éléments d'optimisme et les manifestations de pessimisme quant à l'évolution de notre civilisation (sujet 1).

Le sujet donnera en général des indications sur ce qui est à prendre en considération dans cette réalité, **sur le point de vue à adopter.** L'interprétation adéquate de ces éléments et la capacité de mener une analyse sous un angle donné seront, dans ce cas, déterminantes.

> Définir les grands axes moraux de l'œuvre de Boris Vian (sujet 2).

b) Dans beaucoup de cas, le sujet propose une formulation qui énonce déjà un **jugement sur une réalité,** qui contient donc à la fois un point de vue et une évaluation. Ce sujet se présente donc comme une thèse. Les contraintes sont alors maximales : elles imposeront de cerner exactement la réalité concernée et le point de vue sous lequel elle est abordée, mais en outre, de comprendre et d'évaluer le jugement porté.

> «Envier le bonheur d'autrui c'est folie; on ne saurait pas s'en servir. Le bonheur ne se veut pas tout fait mais sur mesure» André Gide. Expliquez (sujet 3).
>
> «Le barbare, c'est d'abord celui qui croit à la barbarie» Lévi-Strauss. Expliquez (sujet 4).
>
> La réalité de la barbarie est ici envisagée non sous l'angle des mœurs ou de la culture, comme c'est souvent le cas, mais par rapport à celui qui pose l'existence de la barbarie. Le jugement consiste à appeler *barbare* celui qui utilise ce terme pour parler des autres.

c) Dans tous les cas, une consigne explicite précisera **la nature de la démarche** à effectuer. Celle-ci s'exprime habituellement au moyen de verbes ou de locutions verbales très diversifiés : *préciser, montrer, évaluer, prouver...* Ces vocables ne se recoupent que partiellement ; ils postulent donc des attitudes intellectuelles et des discours quelque peu différents. Deux grands types de démarche peuvent être dégagés :

- *la démarche expositive ou explicative (définir, montrer, expliquer, faire voir...)*[1] : elle consiste à développer un réseau cohérent d'éléments résultant de l'observation, de l'analyse d'une réalité sous un angle déterminé ; ou encore, à rendre compte d'un ensemble de facteurs susceptibles de clarifier les raisons d'un jugement, par exemple. Les choix personnels ne trouvent guère à se formuler explicitement ici. L'attitude de décentrement par rapport à soi-même, demandée dans ce cas, est difficile à pratiquer avec rigueur, mais elle est sans doute un des enjeux importants du genre. Par ailleurs, cette démarche fournit une assise solide pour une évaluation personnelle argumentée (sujets 2, 3, 4).

- *la démarche critique (commenter, discuter, évaluer...)* implique, elle, une prise de position explicite par rapport à un ensemble de faits, d'éléments, ou par rapport à un jugement formulé par autrui.

  Que pensez-vous du personnage de Meursault (*L'Etranger* de Camus) ? (Sujet 5).

  Un écrivain contemporain déclare : « C'est une profonde erreur de porter un roman à l'écran ». Partagez-vous ce point de vue (Sujet 6).

Après avoir examiné la réalité ou le jugement, il s'agira donc de se prononcer, étant entendu que toutes les nuances sont permises et souhaitables : le parti à prendre n'a rien à voir avec un choix d'humeur et il devra être justifié. Cette démarche permet une plus grande implication de l'auteur, mais elle n'est pas plus facile. Elle demande les mêmes qualités que la démarche explicative et, en outre, elle suppose un esprit critique.

---

1. *Exposer (montrer)* et *expliquer* ne renvoient pas exactement à la même démarche : *exposer* implique de présenter en ordre un ensemble de faits et d'idées, de manière à mettre en évidence une organisation, une logique ; *expliquer* suppose en outre une opération interprétative visant à intégrer les données de départ dans un système plus général relevant d'un cadre de référence différent. Ainsi, par exemple, on explique un événement historique en recourant à une analyse socio-économique. L'explication a souvent partie liée avec l'idée de cause.

Ce qui précède demande sans doute un bref commentaire visant à préciser la place et la nature de l'argumentation dans la dissertation, particulièrement lorsque celle-ci se borne à exposer ou à expliquer.

Où se situe en effet, dans ce cas, la visée propre du discours argumenté qui est d'agir sur les représentations d'autrui, «de provoquer ou d'accroître l'adhésion d'un auditoire aux thèses qu'on présente à son assentiment»[1] ? L'objectif premier de la recherche, au moment où elle s'élabore, n'est effectivement pas celui-là puisqu'il s'agit d'abord d'analyser, d'observer, de comprendre. A ce titre, la démarche impliquée ne procède pas d'une volonté personnelle de s'adresser à autrui pour obtenir son adhésion et la première étape en est d'abord d'ordre intellectuel. Pourtant, dès ce moment, l'horizon d'une réponse à celui qui a suscité le travail, ou d'un échange oral avec des pairs qui ont mené leur propre analyse, est bien présent.

Ce n'est qu'au moment où les éléments de réflexion auront été rassemblés et ordonnés en une perspective cohérente que la dimension proprement argumentative intervient : pour logique et fidèle à la réalité qu'elle soit, et quel qu'en soit le degré de pertinence, la réponse à la question posée n'est sans doute pas la seule possible et elle porte en tout cas, dans son organisation et sa formulation, la trace de choix effectués. C'est le propre des raisonnements en langue naturelle (par opposition aux langages formalisés), lorsqu'ils visent à établir ce qui est préférable, acceptable ou raisonnable, de ne pouvoir échapper totalement à l'ambiguïté et de ne jamais détenir le seul ni le dernier mot sur une question.

Dans sa finalité et en tant que texte destiné à la communication, la dissertation relève donc bien de l'argumentation puisqu'elle suppose le contact des esprits et une recherche d'adhésion. Pour que cette dimension soit réellement opérante, les exigences et les attentes de l'«auditoire» doivent donc être clairement formulées, mais, en outre, celui-ci doit effectivement jouer son rôle, en l'occurrence, celui de lecteur-destinataire et non pas avant tout celui de correcteur-censeur.

Cet objectif exigeant peut être visé, en premier lieu, par une préparation des travaux mettant en évidence l'aspect dialogique (dialogue avec soi-même d'abord) de la réflexion et la pluralité

---

1. Perelman Ch., *L'Empire rhétorique*, p. 23. (Biblio. 25).

des points de vue acceptables, mais aussi par l'exploitation des textes eux-mêmes qui peuvent circuler dans le groupe ou, s'ils présentent assez de qualités pour que la valorisation en soit assurée, faire l'objet d'une lecture analytique commune. Enfin, la manière dont les commentaires sont formulés – interactive et constructive – permet d'insérer chaque réalisation des apprenants dans un contexte d'échange, dans une communauté de pensée et de parole.

3. *Forme*

En ce qui concerne la forme des sujets, on trouve deux grandes catégories :

a) **Question, injonction, constatation...** adressées directement à l'étudiant par le professeur (sujets 1, 2, 5). Leur caractère direct, simple parfois (sujet 5), ne doit pas faire sous-estimer la portée de ces énoncés. L'opinion personnelle qu'ils demandent parfois («Que pensez-vous de...») demande à être expliquée et justifiée avec précision.

b) **Citation** (ou phrase d'auteur) circonscrivant une problématique. Cette forme doit être appréciée à sa juste valeur pour éviter un certain nombre de difficultés. En effet, dans diverses situations de communication, la citation se voit utilisée comme argument d'autorité – en vertu du prestige lié au nom de son auteur – pour cautionner un point de vue particulier. Dans ce cas, elle tend à devenir univoque. Donnée comme sujet de dissertation, elle suscite parfois une réaction spontanée d'opposition parce qu'elle semble refléter et redoubler la relation d'autorité. En réalité, à ce moment, elle est utilisée d'une tout autre manière.

1. Le point de vue qu'elle exprime ne peut être considéré comme reflétant l'avis du professeur.

2. La citation d'auteur est régulièrement utilisée comme sujet de dissertation parce qu'elle présente de manière condensée et souvent frappante un avis précis sur une réalité donnée; elle constitue, de ce fait, une bonne stimulation pour la réflexion.

3. Le nom de l'auteur invite bien sûr à prendre l'affirmation au sérieux, mais il constitue avant tout une *information* destinée à permettre une meilleure compréhension du point de vue proposé.

4. Il ne faut en effet jamais oublier que la citation est l'expression d'un point de vue particulier (la thèse d'un individu)

situé dans l'espace et dans le temps et qu'elle porte souvent les traces de cette insertion.

5. Elaborer une dissertation à partir d'une citation suppose *d'abord et dans tous les cas* que l'on se livre à une véritable *exégèse* de la formule proposée en vue d'aboutir à une compréhension satisfaisante. La citation est donc donnée comme une hypothèse, une proposition à comprendre et éventuellement à examiner et non comme une vérité à admettre ou à rejeter.

6. Dans cette perspective, il peut être parfois fort utile de la resituer dans son contexte. Celui-ci permettra, dans certains cas, de mieux saisir certains aspects particuliers de la formulation ou d'en percevoir les motivations.

7. Même si elle se présente de manière provocante, il importe de l'examiner posément de manière à circonscrire son champ de validité.

> «Le cinéma est un amusement d'ilotes, un passe-temps d'illettrés.» G. Duhamel (sujet 7). Qu'est-ce qui a pu amener Duhamel, en son temps, à formuler un jugement aussi radical ? Qu'est-ce qui, aujourd'hui encore, pourrait fournir des arguments pour une condamnation du cinéma ? (Voir encore pp. 23-24 et 28 à propos de ce sujet).

N.B.

Dans ce livre, il sera régulièrement fait référence aux différents types de sujets même si, de manière générale, celui qui concerne un point de vue sur une réalité non limitée à un texte est considéré comme le sujet type : c'est le plus difficile. La différence essentielle entre les deux grandes sortes de sujets mentionnés réside dans le fait que, pour les premiers, l'étudiant est en général invité à élaborer sa propre thèse sur une question donnée alors que, pour les seconds, il lui est demandé d'examiner une thèse formulée par quelqu'un d'autre. Il s'agit là de deux démarches fort différentes.

II. ANALYSE DÉTAILLÉE DU SUJET ET FORMULATION DU PROBLÈME

Une fois reconnues les données de base du sujet, à savoir :

- la réalité concernée,
- le point de vue et le jugement (éventuel),
- la démarche requise,

il importe d'effectuer une analyse détaillée de sa formulation.

A partir de cette analyse, il deviendra possible de cerner avec précision le champ couvert par la question, le champ argumentatif; en d'autres termes, on pourra déterminer le type de données à prendre en considération, la nature des inférences à produire et celle de la conclusion visée.

Tout énoncé qui propose une thèse ou toute consigne invitant à se prononcer se situe à l'intérieur d'une problématique ancrée dans un monde de référence bien précis. Il renvoie à un espace/temps circonscrit et à un univers de discours déterminé : la manière d'utiliser les mots et celle de poser les problèmes sont toujours relatives à un contexte. En effet, argumenter, énoncer une thèse, c'est prendre une position, se situer par rapport à d'autres discours, mentionnés ou non.

Pour construire cette problématique, il faut avoir saisi avec précision le sens, la portée et l'intention de la formulation proposée. Ceci implique d'en avoir repéré la structure et les particularités syntaxiques et énonciatives et d'avoir effectué une analyse de type sémantique et argumentatif. En outre, il convient de déterminer à quelle question la thèse proposée répond et quels sont ses présupposés éventuels, de manière à en saisir tout l'enjeu argumentatif.

1. *Analyse syntaxique et énonciative*

C'est l'analyse de l'énoncé constituant le sujet. Elle est particulièrement utile dans le cas d'une citation : la manière dont celle-ci est construite et les traces qu'elle contient de la présence et de l'intention de son auteur-énonciateur pourront fournir des indications sur la thèse.

- Est-ce une phrase énonciative, interrogative, exclamative, injonctive ? Qu'en déduire relativement à l'intention de son auteur ?

- L'énoncé se constitue-t-il d'une phrase simple ou d'une phrase complexe ? Dans le premier cas, il convient de reconnaître l'énoncé de base et l'(les) énoncé(s) secondaire(s)[1] afin de bien repérer les termes-clés et la structure de base de l'énoncé.

  «Toute éducation digne de ce nom est forcément dangereuse» L. Néel (sujet 8).

---

1. L'énoncé de base comprend le terme de base (le noyau) de chaque groupe de la proposition; les termes secondaires se rattachent à ce terme de base et viennent le préciser, le déterminer, le compléter.

L'énoncé de base est : «Toute éducation est dangereuse».

L'énoncé qui se présente sous la forme d'une phrase complexe contient souvent tout un raisonnement et/ou un mouvement argumentatif qu'il importe de bien déceler.

> «Oui! Mille fois oui! La poésie est un cri mais c'est un cri ha-
> billé (!)» Max Jacob (sujet 9).

Ici, c'est un mouvement argumentatif qui s'exprime par la coordination des deux propositions simples : une affirmation nette suivie d'une proposition dont l'orientation argumentative est opposée (*mais* relie des propositions valant pour des conclusions opposées).

*   À quel autre énoncé l'énoncé donné s'oppose-t-il ?

L'énoncé de M. Jacob s'oppose manifestement à celui qui affirmerait que la poésie est pur cri

*   Repérer les indices de la présence du locuteur dans son énoncé et les particularités rhétoriques de la formulation (répétitions, oppositions, mise en relief, ponctuation...).

Analyse de l'énoncé de M. Jacob :

> – répétition de la particule d'affirmation avec forte insistance (*mille fois*) ;
>
> – dans sa première partie, l'énoncé qui suit, apparaît dès lors comme l'expression d'un accord insistant (avec d'autres) sur ce qu'est la poésie ;
>
> – la seconde partie, introduite par la conjonction de coordination *mais*, amène une restriction tout aussi insistante, étant donné les majuscules utilisées pour mettre le dernier mot en relief ;
>
> – les points d'exclamation donnent à l'énoncé l'allure d'un cri ; le dernier de ces points, mis entre parenthèses, figurerait-il le «cri habillé» ?

On le voit, cette première analyse conduit à dégager des traits significatifs de l'énoncé.

2.   *Analyse sémantique des termes en contexte*

Objectif : découvrir ou préciser le sens des mots significatifs du sujet, de manière à comprendre exactement la signification de chacun des énoncés qu'il comporte.

a) La compréhension intuitive des mots du sujet ne suffit pas : elle est en effet le plus souvent imprécise et incomplète. Le recours au dictionnaire[1] s'impose à ce moment. Il permettra de faire le tour de tous les sens possibles pour déterminer ceux qui conviennent au sujet envisagé. On arrivera ainsi à préciser l'étendue de la signification et/ou à déterminer un noyau de significations pertinent pour comprendre l'énoncé[2].

b) Pour être en mesure de déterminer la signification des mots-clés du sujet, il ne faut pas omettre d'observer la manière dont la référence est construite par l'énoncé analysé, la manière dont il désigne les objets du monde qui sont concernés.

Le plus souvent, dans les sujets de dissertation, le locuteur présente ce dont il parle comme identifiable par son allocutaire : il renvoie à la réalité extérieure objective en utilisant soit des notions générales (*la publicité* par exemple), soit des termes désignant des objets uniques ou situés sur le plan spatio-temporel (*la jeunesse d'aujourd'hui,* par exemple). La plupart du temps, en effet, la réalité concernée est accompagnée du prédéterminant défini (ou désignateur) qui désigne une classe d'objets et est employé de façon générique, mais il peut également désigner un seul objet ou un groupe d'objets identifiable par l'interlocuteur grâce aux précisions données par un complément du nom, un adjectif, une relative, une apposition (cfr *la jeunesse d'aujourd'hui*).

Si aucune précision n'est donnée, le terme concerné désigne la réalité dans sa généralité maximale ou une notion (entité abstraite). Dès lors, il convient de mener une recherche visant à préciser les sèmes pertinents de la notion (unités de signification qui la constituent).

c) L'examen des rapports que l'énoncé-sujet instaure entre ses termes permettra de préciser les limitations et/ou les orientations de sens qu'il leur impose. Chaque utilisation particulière de la langue suppose des choix, des nuances, voire de légers déplacements dans l'éventail des significations possibles.

---

1. On ne saurait trop conseiller aux étudiants de consulter un bon dictionnaire. Par ailleurs, ils n'hésiteront pas à compléter les données de celui qu'ils auront toujours à portée de la main (*Le Petit Robert* par exemple) par la consultation des grands dictionnaires de la langue française (*Le Grand Robert* et *Trésor de la langue française.* Biblio. 1 et 2).
2. La consultation du dictionnaire est une étape nécessaire mais non suffisante de l'analyse sémantique des termes du sujet. Elle doit être suivie d'une reformulation plus explicite du sens des mots pris en contexte. Il est donc exclu de retrouver les définitions du dictionnaire citées dans la dissertation.

> Ainsi, pour cerner le mot *cri* dans le sujet 8, il sera nécessaire
> de reprendre, de synthétiser ce qui, dans les définitions de ce
> terme, peut être mis en rapport avec la poésie (= expression
> haute et forte d'un mouvement intérieur, sentiment ou opinion).

L'analyse sémantique suppose donc une réélaboration des définitions en fonction du contexte. Celui-ci, non seulement détermine les sens pertinents des termes utilisés, mais en outre, il infléchit régulièrement leur signification en leur attribuant une valeur positive ou négative. Cette valeur est conférée aux mots par l'orientation argumentative de l'énoncé, c'est-à-dire le fait qu'il est destiné à servir telle ou telle conclusion.

Les valeurs supplémentaires qu'un locuteur confère à un mot du fait de son histoire propre, de ses préférences, de son époque ... sont désignées par le terme *connotation*. Des locuteurs différents peuvent ainsi utiliser un même mot en lui faisant signifier les choses opposées.

> Le mot *révolution* peut être associé aux idées de désordre, de
> chaos, de destruction ou au contraire, à celles de changement,
> de progrès.

Repérer les connotations associées à un mot est indispensable pour comprendre un sujet avec précision et tenir compte de sa valeur argumentative.

> « Belle fonction à assumer, celle d'inquiéteur. De ce monde si
> imparfait, et qui pourrait être si beau, honni celui qui se
> contente ! L'*ainsi soit-il,* dès qu'il favorise une carence, est
> impie » A. Gide (sujet 10).

> Dans cet énoncé, le mot *inquiéteur* (celui qui inquiète, dérange) est manifestement connoté de manière positive (voir son
> contexte). Il sera donc nécessaire de chercher à cerner cette
> valeur pour bien exploiter ce sujet. La référence à l'auteur de
> la citation peut s'avérer fort utile ici.

N.B.

Le mot *inquiéteur* ne se trouve pas dans le *Petit Robert*. Il est signalé comme hapax dans le *Trésor de la langue française*.

d) Enfin, pour bien comprendre les termes-clés d'un sujet, il s'avère parfois fort utile de déterminer à quel(s) terme(s) ils peuvent être opposés ou par rapport à quel(s) autre(s) terme(s) ils se définissent. Circonscrire un tel réseau d'oppositions et de différences aide à préciser les sèmes pertinents pour l'approche d'une notion.

> Ainsi, par exemple, pour cerner la notion de *bonheur* (sujet 3),
> on peut la mettre en rapport avec celles de *satisfaction,* de *joie,*

de *plaisir* et voir qu'elle contient une idée de durée et une autre de plénitude. L'antonyme (contraire), quant à lui, est le mot *malheur* et non *peine* ou *tristesse*[1].

3.   *Délimitation du champ et analyse des présupposés*

Objectifs

a) Cerner la problématique, c'est-à-dire formuler la (les) question(s) à laquelle (auxquelles) le sujet constitue une réponse ou invite à apporter une réponse.

Tout énoncé peut en effet être rattaché à au moins une question par rapport à laquelle il constitue une prise de position ou fournit des données pour élaborer une réponse. Bien cerner la problématique permet de rattacher la thèse à un champ de préoccupations, à un problème général; cette opération permet également de déterminer la place occupée dans ce champ par la proposition que l'on a à examiner.

Pour le sujet 10, les questions auxquelles Gide répond pourraient être celles-ci :

– quelle(s) réaction(s) adopter face aux carences du monde ?

– comment se comporter face à ceux qui semblent satisfaits ?

Gide prône l'inquiétude et valorise le rôle de celui qui éveille les consciences.

Pour le sujet 7, les questions auxquelles la proposition de Duhamel répond peuvent être formulées comme suit :

– à qui s'adresse le cinéma ?

– quel est le rôle du cinéma sur le plan culturel ?

b) Cerner le ou les présupposés sous-jacents à l'énoncé-sujet.

Le présupposé est une proposition qui doit être admise par le destinataire s'il veut poursuivre l'échange à partir d'un énoncé donné. C'est ce qu'un locuteur pose comme allant de soi, comme non soumis à la discussion. Cela lui permet de considérer comme acquises des données qu'il veut soustraire à la contestation.

Ainsi, la proposition « Jean a cessé de fumer » présuppose que Jean fumait.

---

1. Pour pouvoir traiter ce sujet et cerner la réalité concernée, l'approche de la notion s'impose (qu'est-ce qui n'est pas à envier ?) afin de ne pas tomber dans le piège du relativisme subjectif (chacun a sa propre définition du bonheur), ce qui ne permet pas la discussion.

Autre exemple : «Pour qu'une chose soit intéressante, il suffit de la regarder longtemps». M. Proust (sujet 11). Présupposé sous-jacent : toute chose est potentiellement intéressante.

De la même manière, la proposition «Les mères deviennent de plus en plus lucides devant la maternité»[1] (sujet 12), présuppose qu'auparavant, les mères étaient moins lucides. Dans ce cas, le présupposé contient un jugement implicite puisque la lucidité est une qualité. La situation actuelle est ainsi présentée comme plus satisfaisante.

Les énoncés qui présentent une thèse et contiennent donc un jugement sur une réalité ou un état de choses se fondent le plus souvent sur des propositions sous-jacentes, non formulées explicitement. Souvent, ces propositions, maximes ou axiomes plus ou moins généraux, sont des lieux communs donnés comme évidents. Pour bien comprendre et évaluer une thèse, il importe de repérer ces présupposés. Dans pas mal de cas, ceux-ci fournissent une ressource importante pour l'explication, soit qu'on les développe si on les accepte, soit qu'on les conteste dans le cas contraire.

4.   *Reformulation*

L'analyse détaillée du sujet une fois effectuée, on est à même d'en déployer les significations, c'est-à-dire de formuler de manière explicite tout ce qu'une tournure synthétique, des mots polysémiques ou complexes, des connotations liées au contexte, des particularités de détail (ponctuation, typographie ...) ne signifiaient que de manière indirecte ou implicite. C'est développer les significations – en indiquer l'étendue – et en même temps les limiter.

Exemple de reformulation du sujet 8 : Max Jacob marque de manière enthousiaste son accord avec une conception de la poésie considérée comme l'expression haute et forte d'un mouvement intérieur, sentiment ou opinion. Il s'oppose cependant à ce que le cri peut avoir d'inarticulé et de non maîtrisé en posant nettement que sa nudité est couverte, que ce message est apprêté en vue de la communication.

Exemple de reformulation du sujet 7 : G. Duhamel estime que le cinéma ne peut divertir que les gens asservis, aliénés et sans culture.

1. Cité et commenté dans A. BOISSINOT et M.-M. LASSERRE, *Techniques du français* (Biblio. 48), p. 102.

III. SYNTHÈSE ET EXPLOITATION ÉLARGIE DU SUJET

1. *Synthèse*

Les différentes données issues de l'analyse du sujet vont être combinées pour donner lieu à une compréhension et une exploitation globales.

Ainsi, pour le sujet 12, assorti de la question «est-ce là votre avis ?», on obtient l'ensemble de données suivant :

a) Sur le plan syntaxique

- L'énoncé se présente comme un constat déclaratif ne contenant aucune restriction.

- L'énoncé est une phrase simple, centrée sur un verbe marquant un procès (non achevé); l'idée exprimée par celui-ci est renforcée par l'expression adverbiale indiquant une gradation.

b) Sur le plan sémantique

- Le sujet de l'énoncé est le terme *mères* pris dans son extension maximale : le prédéterminant désigne la réalité dans son ensemble, telle qu'elle peut être connue de l'interlocuteur. La thèse concerne donc toutes les mères d'aujourd'hui (pris au sens large). Même si notre planète devient un grand village où les informations se transmettent et les comportements s'unifient, on ne peut faire abstraction des différences économiques, sociales et culturelles. Et il semble difficile d'admettre une proposition aussi générale. Cette précision offre une ressource argumentative pour l'explication.

  En outre, le choix du mot *mères* (et non celui de *femmes*) semble réserver la lucidité à celles qui ont déjà enfanté. Nouvelle ressource argumentative.

- De la même manière, en explorant la gamme des termes qui peuvent être mis en rapport avec l'adjectif *lucide*[1], on trouve comme antonyme *aveugle* ou comme autres termes qui pourraient commuter avec lui sans pour autant être équivalents : *conscient, responsable, autonome, disponible,* etc. Cette recherche permet de mieux apprécier le

---

1. «Qui perçoit, comprend, exprime les choses (notamment celles qui le ou la concernent) avec clarté, perspicacité» (*Nouveau Petit Robert*, p. 1308. Biblio.3).

choix opéré et de le mettre en perspective au moment de l'explication.

– Le verbe *devenir* et la locution adverbiale *de plus en plus* renvoient à un processus actuel (mais non daté) et graduel : la qualité concernée apparaît donc non comme un attribut intrinsèque, mais comme un état à conquérir et toujours susceptible d'être amélioré. La thèse renvoie ainsi à quelque chose de mouvant dont les signes et les causes peuvent être multiples et doivent être recherchés dans les mutations du monde contemporain sans que l'on puisse pour autant assigner de limites temporelles exactes au processus concerné.

c) Sur le plan argumentatif

– Questions auxquelles l'énoncé peut constituer une réponse :

• comment les mères se situent-elles face à la maternité ?

• quelle est l'évolution dans l'attitude des mères face à la maternité ?

– La thèse proposée oppose le passé et le présent, celui-ci étant valorisé puisque la lucidité est une qualité marquée positivement.

– Le présupposé renvoie à l'idée selon laquelle l'évolution est positive (idée sous-jacente de progrès) dans la mesure où elle met en évidence la supériorité de la connaissance sur l'instinct. Il y a là un a priori que l'on peut en tout cas mettre en lumière et, éventuellement, mettre en perspective en soulignant d'autres qualités liées à la maternité.

– Thèse à laquelle celle-ci s'oppose : «Les mères ne sont pas encore conscientes face à la maternité».

d) Reformulation

Face à la question de savoir comment les mères se situent aujourd'hui par rapport à la maternité, la thèse proposée affirme qu'elles en comprennent et expriment de mieux en mieux les enjeux. Cette attitude est valorisée et opposée à celle qui avait cours dans le passé.

On voit se dessiner des pistes d'investigation possibles. Mais il faut encore explorer plus systématiquement le champ délimité pour être en mesure d'apprécier la pertinence de la thèse avancée. En l'occurrence, il importe de rechercher les faits, les indices susceptibles de la confirmer, mais aussi ceux qui pourraient venir en limiter la validité.

2. *Exploitation élargie du sujet*

Une dernière opération sera encore signalée : elle consiste à exploiter les informations permettant de préciser l'enjeu social et culturel du sujet proposé. Elle se réalise par les moyens suivants :

a) S'il s'agit d'une citation, prendre en considération le **nom de l'auteur** et le **contexte d'énonciation** du sujet s'il peut être connu.

Le nom de l'auteur permet de situer l'énoncé sujet dans le temps, l'espace, le domaine d'activités, les préoccupations intellectuelles ...

Le contexte d'énonciation du sujet renvoie à la situation de communication dans laquelle il a été émis ; il suppose la prise en considération des partenaires de l'interlocution et de leurs rôles éventuels, du lieu et du moment de même que du but de la prise de parole.

Pour les textes écrits, ces facteurs doivent être interprétés de manière spécifique : l'écrivain ne s'adresse en général pas à un seul interlocuteur (mais il peut prendre position par rapport à un autre texte publié et connu du public) et il se dégage le plus souvent des circonstances particulières liées au lieu et au moment. Par contre, le contexte culturel – et éventuellement historique – de l'époque transparaît souvent. Enfin, le but poursuivi est généralement en rapport direct avec le genre du texte (essai, fiction, article, aphorismes ...).

> A propos du sujet 8, savoir que M. Jacob s'est beaucoup soucié de préciser son art poétique, que son œuvre s'élabore à partir de 1911, mais qu'il est toujours resté en marge du surréalisme ; qu'il est considéré comme un maître de la modernité poétique, notamment à cause de son intérêt pour la création verbale, permet de situer quelque peu l'énoncé (à défaut de connaître les circonstances exactes de sa production).

b) Ensuite, et de manière impérative si on ne dispose pas des informations mentionnées ci-dessus, exploiter les données issues du rattachement du sujet à une question plus générale et mettre, si possible, cette question en rapport avec l'actualité connue. Le but visé est la **mise en perspective** du sujet, c'est-à-dire son insertion dans un cadre de préoccupations d'une certaine ampleur où il puisse prendre tout son relief.

> Le sujet 10 rejoint la question du rôle social du contestataire. Est-ce véritablement une fonction ?

c) La prise en considération du **contexte** particulier de communication dans lequel s'insère le travail demandé fournit également des indications quant à l'exploitation du sujet. La dissertation suppose une réflexion personnelle sur le sujet; il ne s'agit donc pas de faire une synthèse ou une paraphrase d'articles lus, de cours suivis. Pour les étudiants de lettres, la référence à leur domaine d'études constitue, lorsque le sujet le permet ou y invite, un passage obligé.

> Exemple d'exploitation élargie du sujet 7 tel qu'il a été reformulé page 24 : G. Duhamel, humaniste observant avec inquiétude le développement des techniques souvent utilisées en vue de l'asservissement du grand nombre, et voyant que le cinéma, dans ses productions courantes, propose au grand public une fuite dans l'imaginaire facile, condamne avec force, dans les années 30, ce qui lui apparaît comme un narcotique puissant annihilant le désir d'élévation culturelle et spirituelle du grand public. A propos de ce public citadin qui fréquentait en masse les salles obscures, on a d'ailleurs parlé de «public captif».
>
> Depuis les années cinquante, la télévision a partiellement remplacé le cinéma comme pourvoyeuse de distractions faciles. Il faudrait en tenir compte dans l'élaboration de la réflexion.
>
> Cette prise en considération des circonstances de production du sujet permet donc de l'inclure dans une problématique plus vaste (l'éducation populaire); elle donne sa véritable portée au sujet en montrant bien qu'il ne s'agit pas simplement d'expliquer que le cinéma est un art et qu'à côté des superproductions à la mode (*Rambo, Batman* et les autres), il y a aussi bon nombre de films qui peuvent satisfaire les plus exigeants, tant au plan de la réalisation qu'à celui de la problématique abordée. On pourrait sans doute obtenir un résultat analogue en partant d'autres éléments d'analyse, mais la prise en considération du moment où le jugement a été formulé paraît ici indispensable pour ne pas se tromper de sujet.

IV. CONCLUSION

Le travail d'analyse du sujet vise à la fois à en préciser les significations particulières, à en cerner la problématique et la dimension argumentative et à y discerner les implications actuelles (en quoi il nous concerne).

Tout le travail ultérieur dépend de la manière dont cette phase est menée. Produire une réflexion personnelle ne signifie en effet pas mettre en avant la subjectivité ou l'opinion individuelle. Il s'agit plutôt d'élaborer une explication ou un commentaire à partir des connaissances que l'on possède et réactive, à partir des informations recueillies sur le sujet et de ses propres modes de pensée. Il s'agit également de tenter d'élargir le point de vue en y intégrant de nouvelles données et en examinant les raisons qui valent pour une autre thèse que celle que l'on défend.

B
Élaboration de la réflexion

Tout ce qui a été exposé jusqu'ici montre déjà que la dissertation, comme exercice intellectuel de réflexion et de construction d'une réponse à une question posée, ne laisse pas de place à la généralité vague, au lieu commun non vérifié, aux a priori non critiqués. Au contraire, elle suppose un travail précis sur la mémoire culturelle, la production d'idées – souvent nouvelles pour celui qui les élabore -, l'établissement de rapports entre idées, la recherche de faits, le tout dans une perspective ordonnée à partir de l'analyse du sujet. On aura sans doute également compris que, même lorsqu'il s'agit de montrer, d'expliquer, donc lorsque la démarche semble la plus objective, des choix doivent être effectués, des enjeux de sens existent qui valent la peine que l'on s'y arrête.

Si l'analyse et la mise en perspective du sujet ont été bien effectuées, on dispose déjà de bases solides pour entamer la réflexion.

Les points envisagés dans cette partie seront dans l'ordre :

   I. Quelques questions à se poser pour commencer
  II. Établir un plan de recherche
 III. Précision des données de la discussion
 IV. Autres grands types d'arguments
  V. Argumentation et valeurs.

I.   QUELQUES QUESTIONS À SE POSER POUR COMMENCER

1.   *La réalité concernée par le sujet est-elle bien circonscrite ?*

En d'autres termes, se représente-t-on clairement cette réalité et est-on à même d'en fixer les limites ? De très grandes différences peuvent exister entre les sujets à ce propos.

Voir, par exemple, les sujets 5, 2, 1 et 3. Ils proposent respectivement :

- l'étude d'un aspect d'un texte;
- l'étude d'un aspect de plusieurs textes[1];
- l'étude de plusieurs aspects d'un processus qui concerne une réalité assez confuse (l'évolution de notre civilisation);
- enfin, l'étude du rapport que l'on peut avoir avec une réalité éminemment mouvante et difficile à cerner (le bonheur d'autrui).

De ce point de vue, les deux premiers sujets cités sont évidemment les plus faciles à traiter : ils ne supposent, en principe, aucune recherche particulière pour déterminer ce dont il est question. Les deux derniers, par contre, impliquent que l'on précise les caractéristiques importantes à prendre en considération pour pouvoir valablement parler de la réalité concernée. Des jalons auront déjà été posés au moment de l'analyse du sujet. Mais ce n'est qu'au moment de l'élaboration de la réflexion que les implications devront être tirées.

> Soit cette reformulation du sujet 3 : selon André Gide, désirer pour soi la plénitude intérieure observée chez autrui constitue un non-sens dans la mesure où aucune recette n'existe pour atteindre cet état tellement envié : chacun doit en inventer la configuration et les modalités.
>
> Que recouvre l'expression *plénitude intérieure* ? Que comprend-elle nécessairement comme constituants ? A quoi s'oppose-t-elle ? Qu'est-ce qui peut la susciter ? Comment peut-on la reconnaître ?

Ce travail s'impose tout particulièrement lorsque, comme pour le sujet 3, on se trouve face à une réalité circonscrite au moyen de

---

1. Autre exemple : Faites voir que le théâtre classique obéit à des règles générales (sujet 13).

termes abstraits; il importe alors, avant de poursuivre la recherche, d'en préciser **la compréhension ou intension** (ensemble des qualités intelligibles du terme et donc, l'ensemble des autres concepts qu'il suppose) et l'**extension** (ensemble des réalités auxquelles le terme s'applique parce qu'elles en vérifient les qualités). Voir encore plus loin (pp. 39-41) ce qui concerne la définition.

2. *Le point de vue sous lequel on demande d'aborder la réalité concernée a-t-il été bien analysé, ses composants bien cernés ?*

Si l'on demande de définir les axes moraux d'une œuvre (sujet 2), il convient de voir ce que cette expression («axes moraux») recouvre, de la préciser d'abord de manière générale (par exemple, valeurs et normes qui guident le comportement, dictent l'agir), pour être à même d'en cerner les modalités particulières dans les textes indiqués.

Selon quels critères déterminer ce qu'est un élément d'optimisme dans l'évolution d'une civilisation (sujet 1) ? La manière dont ces critères seront définis et hiérarchisés relève de choix portant sur ce que l'on considère comme favorable à l'évolution d'une civilisation.

3. *Les enjeux de la démarche ont-ils été bien compris ?*

Si l'on demande de décrire, d'analyser, d'expliquer, il faudra détailler les signifiés, observer les manifestations, chercher des indices, les mettre en relation, pour pouvoir interpréter, dégager le sens des phénomènes et finalement rendre compte de la réalité ou du jugement soumis à la réflexion.

Si l'on demande d'évaluer, de commenter, de critiquer, il faudra d'abord essayer de comprendre (s'expliquer à soi-même) ce dont il est question. La démarche commencera donc par se faire analytique. Ensuite, elle deviendra évaluative en faisant valoir des critères de valeurs s'il s'agit de l'appréciation d'une réalité, ou d'autres points de vue s'il s'agit de l'évaluation d'un jugement.

Pour les deux orientations, et tout particulièrement si le sujet est une citation d'auteur, on veillera à bien maintenir, tout au long de la recherche, la différence entre le point de vue soumis à l'examen ou au jugement et sa propre démarche (*Untel a énoncé cette proposition; je vais l'examiner*). Le maintien de cette distinction montre que l'on retarde le jugement; elle permet l'instauration d'un dialogue réflexif et incite à un examen plus minutieux des tenants et aboutissants d'une proposition.

4.   *Que faire des idées qui surgissent spontanément face à un sujet ?*

La plupart des sujets suscitent chez chacun des représentations abstraites plus ou moins générales, des idées. Ce n'est pas étonnant dans la mesure où beaucoup d'énoncés concernent des thèmes fréquemment abordés à l'école et dans la société (sujets 7, 9, 10, 14).

A ce stade du travail, ces idées sont, dans la plupart des cas, des **affirmations générales** : constatations ou opinions, elles rendent compte d'un état de fait ou synthétisent par inférence[1] un ensemble d'observations. Ces affirmations contiennent fréquemment une dimension évaluative dans la mesure où elles se centrent sur une catégorie de faits ou sur un aspect de ceux-ci et les caractérisent. Ces constats et ces avis, non vérifiés par l'analyse critique, font en général partie de l'ensemble des représentations qui circulent dans le milieu dont on est issu, parmi les gens que l'on côtoie. Ces idées toutes faites qui véhiculent souvent des hiérarchies et des classifications implicites servent de points d'accord et favorisent la cohésion sociale. Pour cette raison, elles sont parmi les premières à affleurer à la mémoire.

> Le développement des moyens d'information est une caractéristique de la seconde moitié du vingtième siècle (constatation).

> L'homme d'aujourd'hui est individualiste et matérialiste ; il est manipulé par les médias ; les jeunes ne veulent plus travailler, le niveau d'instruction monte (ou baisse), etc. (opinions).

Il est important de vérifier à quelle(s) catégorie(s) de faits ces affirmations renvoient et dans quelle mesure elles constituent ou non une généralisation abusive : on tentera donc de préciser leur domaine de validité : quand, dans quelles circonstances et à quelles conditions se vérifient-elles ?

Ces idées sont à prendre à considération ; le travail de recherche peut d'ailleurs se réaliser notamment à partir d'elles, à condition

---

1. Une *inférence* est une opération par laquelle on admet une proposition en vertu de sa liaison avec d'autres propositions déjà tenues pour vraies. Ainsi, si un étudiant est admis à l'université, on peut en inférer qu'il a terminé avec fruit l'enseignement secondaire.

cependant que l'on accepte de les subordonner à la démarche systématique d'analyse et à la confrontation précise avec des faits. L'objectif est en effet de formuler des idées dont la valeur de connaissance est plus grande que celle des constatations générales ou des idées préconçues et qui deviennent des **jugements** fondés. Ceux-ci sont également appelés **thèses**. Ils présentent un certain degré de généralité et s'appuient sur des arguments.

L'**argument** est une proposition, fait ou raisonnement, destinée à étayer une autre proposition appelée thèse ou conclusion.

> Exemples d'arguments : Le professeur Dupont explique avec précision chaque nouvelle notion qu'il utilise ; ses exposés sont vivants et bien structurés.

> *Thèse :* Le professeur Dupont est un bon professeur.

L'argument est soumis au principe de validité en ce sens que la relation établie avec la thèse peut être considérée comme plus ou moins pertinente[1], adéquate. Divers types d'arguments ont été répertoriés. Nous privilégierons ceux qui se basent sur des faits ou des observations parce que leur établissement constitue une bonne initiation à la méthode de vérification critique d'une hypothèse.

Pour valider une thèse, un seul argument ne peut suffire : on doit produire un faisceau d'arguments allant dans le même sens ; en outre, à l'écrit, les arguments ne peuvent être simplement énoncés : ils doivent être expansés, en d'autres termes, on doit produire les éléments d'explication sur lesquels on se fonde pour énoncer l'argument.

Pour servir une thèse et devenir des arguments, les faits sont envisagés sous un certain point de vue qui en constitue une lecture-interprétation. Par eux-mêmes, en effet, les faits ne signifient pas.

> Ainsi, par exemple, dire : «Dupré a obtenu 1 000 voix aux élections» ne signifie rien en soi, mais pourra devenir un argument valant pour une thèse (dé)favorable au candidat si on met ce nombre en rapport avec les voix obtenues par son concurrent immédiat ou par lui-même à un scrutin antérieur.

Cette nécessaire interprétation des faits dans l'argumentation, en fonction du point de vue adopté et des présupposés, explique les divergences dans les jugements énoncés par des personnes différentes à partir des mêmes faits. Ces jugements (ou thèses) différents

---

1. Le critère de validité est appliqué lorsque l'argumentation vise la conformité avec le réel (pôle démonstratif). Dans le cas de la persuasion, c'est le critère d'efficacité qui sera choisi.

ne sont pas nécessairement contradictoires. Bien plus, la possibilité de coexistence d'idées différentes dans un groupe, une communauté, est essentielle à la liberté de parole.

Dans une dissertation, il arrive que l'on soit amené à prendre en considération une thèse (ou un point de vue) que l'on n'accepte pas. S'il s'agit du point de vue proposé dans l'énoncé sujet, il est important d'essayer avant tout de le comprendre, d'examiner les arguments et la perspective qui ont pu conduire à sa formulation. Alors seulement, la discussion peut s'engager, et d'autres faits, un autre point de vue peuvent être développés. La dissertation ne vise en effet pas d'abord la polémique ni l'affrontement des idées ; elle est plutôt un dialogue où l'analyse et l'explication des points de vue jouent un rôle important.

Conclusion : en énonçant une idée – constatation ou juge-ment – on doit normalement la mettre en rapport avec les faits qui ont permis de la concevoir. S'il s'agit d'un jugement (ou thèse), on est en outre tenu de préciser par quel biais on y est arrivé. Cette démarche permet d'assumer pratiquement la responsabilité de ses idées et de les énoncer en son nom personnel.

II.   L'ÉTABLISSEMENT D'UN PLAN DE RECHERCHE

1.   *Définition et buts*

Le plan de recherche comprend une série de questions aux-quelles la recherche aura à répondre. Il s'élabore à partir de tous les éléments déjà rassemblés et doit permettre de préciser progressive-ment les données et les hypothèses qui serviront à construire l'expli-cation et à établir la thèse. Le plan détaillé en sera l'aboutissement. La productivité de la recherche sera directement fonction de la perti-nence des questions posées à ce stade du travail.

Ces questions exploiteront les données issues de l'analyse du sujet ; plus particulièrement, elles auront pour *buts :*

- de détailler les aspects de la recherche inclus de manière expli-cite ou implicite dans l'énoncé. Elles viseront à décrire la réalité concernée, à la découper en éléments significatifs, de manière à préciser, à particulariser ce dont on parle dans la perspective demandée ;

- d'établir, le cas échéant, des rapports entre les différents aspects du sujet;

- de préciser le(s) rapport(s) que la thèse étudiée entretient avec la question générale à laquelle on peut la rattacher;

- d'exploiter l'analyse des présupposés;

- de confronter éventuellement la thèse proposée à d'autres qui existent sur la même question.

2. *Elaboration*

Le plan de recherche s'établit à partir de trois grands types de données.

a) Les indications explicites contenues dans le sujet; celles-ci se révèlent dans la structure syntaxique (principalement à travers les coordinations).

> Quels plaisirs et quels profits peut-on tirer de la lecture d'un bon roman ? (Sujet 14).
>
> Il s'agira de détailler les satisfactions et les avantages que procure la lecture d'un roman de qualité, en passant systématiquement en revue (en analysant) les aspects et les moments de la lecture d'un tel roman et en se basant sur des œuvres que l'on connaît bien.

b) Les indications implicites contenues dans le sujet et qui auront été dégagées par son analyse : souvent, celle-ci aura fourni des précisions que le plan de recherche aura pour mission d'exploiter, de spécifier. Dans ce but, on reprend les unités de sens importantes et on les intègre à des questions visant à faire détailler et concrétiser les significations. Voir les exemples proposés pages 25 et 26.

> *1984* d'Orwell raconte l'histoire du dernier homme. Développer (sujet 15).
>
> – Quelle est l'histoire de 1984 ?
>
> – Qu'est-ce qui caractérise le personnage principal de cette œuvre ? Est-il le seul à avoir ces caractéristiques ? Etc.
>
> « L'enfer, c'est de ne plus aimer », G. Bernanos (sujet 16).
>
> Les questions du plan de recherche viseront à examiner dans quelle mesure la définition proposée et les significations qu'elle actualise peuvent être considérées comme pertinentes :
>
> – en quoi le fait de ne plus éprouver de sentiment positif envers autrui constitue-t-il une souffrance ultime ?

– en quoi ce même fait peut-il être assimilé à une damnation, un châtiment ?

– quel lien peut-il y avoir entre l'absence d'amour dans l'existence actuelle et le lieu de damnation éternelle de la religion chrétienne ?

– etc.

Lorsque le sujet contient plusieurs propositions qui s'expliquent ou se justifient mutuellement, le plan de recherche doit tenir compte des relations établies entre les parties du sujet ; il convient, dans ce cas, d'examiner d'abord séparément celles-ci et ensuite, la (les) relation(s). Exemple : sujet 3.

c) Les indications obtenues par l'exploitation du sujet.

Pour le sujet 7 (voir pages 18 et 28) ces indications s'avèrent déterminantes. Elles amèneront à se poser la question de savoir si le cinéma joue aujourd'hui le même rôle que dans les années trente ; si non, pourquoi ? Comment se pose actuellement la question de la culture de masse ?

Dans certains cas, l'analyse du sujet ne fournira pas d'indications, et le plan de recherche devra s'élaborer à partir de la réalité concernée : celle-ci sera décomposée en aspects, en niveaux d'analyse qui fourniront des précisions pour poursuivre la recherche. Parfois, des catégories toutes faites se présenteront à l'esprit ; elles peuvent, dans un premier temps au moins, faciliter la tâche.

Faites l'étude du personnage de Meursault (sujet 17).

Pour étudier un personnage littéraire, on peut ainsi définir d'emblée les catégories suivantes : son physique, son caractère, ses actions, ses rapports aux autres personnages, etc., et ensuite, voir quelles catégories sont les plus pertinentes (les plus importantes) pour le personnage analysé.

Mais on peut décider également de l'aborder dans une perspective plus sémiotique et étudier le personnage comme élément signifiant à l'intérieur d'un système narratif où tout se tient (cette analyse sera plus proche de la réalité à cerner dans la mesure où le personnage est une création langagière).

Ce dernier exemple nous donne l'occasion d'aborder rapidement la question du *point de vue* ou angle sous lequel on aborde une réalité. Il n'est pas indifférent, en effet, de considérer le personnage littéraire sous l'angle du vraisemblable (ce qui crée l'effet de réel : le caractère, l'apparence physique, etc.) ou comme une fiction langagière à l'intérieur d'une œuvre imaginaire. Ces points de vue sur le personnage se situent à des niveaux d'observation différents et donneront lieu à des analyses inégales dans leurs résultats. [1]

Toute réalité se prête à des analyses qui aboutiront à des résultats différents selon le point de vue adopté.

De manière générale, le recours à des ouvrages portant sur la réalité à traiter pourra aussi aider à l'établissement méthodique d'un plan de recherche. Il ne faudra cependant jamais perdre le sujet de vue et savoir que l'ordre des aspects et questions que l'on trouvera dans les livres devra souvent être modifié pour atteindre l'objectif fixé par le sujet.

N.B.

Dans tous les cas, la référence à la documentation sera directe et explicite; elle ne pourra se fonder sur des souvenirs ou tabler sur la complicité du lecteur.

III. PRÉCISION DES DONNÉES DE LA RÉFLEXION

La dissertation n'est pas un exercice de réflexion abstraite ou théorique (construction d'un système). Elle postule, au contraire, le travail sur des faits puisés dans la réalité concernée par le sujet et la production d'idées dont l'acceptabilité sera mesurée notamment par le rapport précis qu'elles entretiennent avec des faits analysés. Cette démarche de confrontation (idées/réalité) fait partie de l'apprentissage à une recherche de type scientifique.

1. *La définition*

On n'y insistera jamais assez : avant de se lancer dans une explication, un commentaire ou une prise de position, il importe d'avoir bien précisé la signification des termes en présence; cette démarche initiale permet d'élaborer la réflexion sur des bases solides. Elle donne la possibilité de formuler une (ou des) définition(s) des termes-clés, dans le contexte où ils se trouvent.

---

1. À propos de cette notion de *point de vue*, voir par exemple, L. Timbal-Duclaux, *L'expression écrite*, pp. 97-98. (Biblio. 27).

La définition, qui est en soi un type d'argument, est le produit de deux ou trois opérations selon que l'on a affaire à un terme abstrait ou non.

a) La recherche des sèmes pertinents faisant partie du signifié. Tout mot «plein» du lexique (nom, verbe, adjectif, adverbe) peut en effet se décomposer en éléments de signification rendant compte à la fois de la catégorie générique à laquelle il appartient et des éléments spécifiques qui le distinguent des termes appartenant à la même catégorie. C'est la compréhension.

> Ainsi, la *poésie* est définie comme un art (genre) du langage (espèce), visant à exprimer ou à suggérer par le rythme (surtout le vers), l'harmonie et l'image (traits spécifiques)[1].

> Remarquons déjà que cette définition fournit des éléments intéressants à confronter avec la citation de M. Jacob (sujet 8). Si la poésie est un art, elle suppose une élaboration, un travail sur la matière langagière en vue de produire des effets esthétiques ; elle ne peut donc présenter un cri à l'état pur.

b) La mise en rapport des sèmes pertinents avec l'ensemble de l'énoncé pour percevoir les modifications entraînées par l'utilisation du terme dans un contexte donné. Cette prise en considération du contexte fournit souvent des indices pour choisir les sèmes pertinents lorsque le terme autorise différentes interprétations.

> «Toute éducation digne de ce nom est forcément dangereuse» (L. Néel), (sujet 18).

> Dans cet énoncé, l'interprétation de l'adjectif *dangereux* peut faire difficulté : un certain nombre de significations qui lui sont associées sont nettement négatives (*redoutable, menaçant*) ; d'autres sont plus neutres (*périlleux, risqué*). C'est la prise en considération de l'ensemble de l'énoncé et de sa valeur argumentative qui permet de trancher.

> En effet, il paraît assez difficile de conférer une orientation négative à cet énoncé en raison du syntagme nominal sujet (désignant la réalité concernée) : une *éducation digne de ce nom* est une éducation qui réalise de manière optimale le programme contenu dans la définition du terme («digne de s'appeler telle»). Or celui-ci est marqué positivement : l'*éducation* est en effet «la mise en œuvre des moyens propres à assurer la formation et le développement d'un être humain». Dès lors, l'adjectif *dangereux* ne peut être interprété de manière négative.

---

1. *Nouveau Petit Robert*, p. 1709 (Biblio.3).

De manière plus générale, la recontextualisation d'un terme fournit des indications sur l'extension qui lui est donnée (réalités auxquelles il s'applique), sur les connotations éventuelles et les restrictions ou déplacements de sens dont il est l'objet.

c) Lorsque le terme à cerner est abstrait, sa définition de base (celle du dictionnaire) présente un cadre général qui repose lui-même sur des notions à spécifier pour rendre la définition opératoire. Cette spécification impliquera toujours des choix qui supposent la mise en avant de valeurs au détriment d'autres jugées moins importantes.

Ainsi, la définition du mot *éducation* (cfr ci-dessus) ne devient utilisable en discours que si l'on précise comment on envisage la formation et le développement d'un individu, c'est-à-dire les qualités qui seront développées par la mise en œuvre du processus. Les choix effectués dépendent sans doute, dans une certaine mesure, du climat culturel et idéologique du moment (le chevalier, l'honnête homme, l'individu responsable sont des modèles bien situés), mais des modèles différents coexistent à une même époque et la hiérarchisation des éléments retenus peut donner lieu à des approches diverses.

Ces remarques montrent assez clairement l'intérêt d'un travail sur les mots utilisés dans un exposé argumenté : ceux-ci font l'objet d'investissements, d'orientations, et les définitions que l'on en donne ne sont jamais neutres. Elles constituent le premier jalon de la démarche et leur formulation précise donne au message des bases claires et productives.

2.   *La recherche et l'analyse de faits : l'induction*

Une thèse est généralement une proposition présentant un certain degré de généralité et énonçant un jugement sur une réalité. Ce jugement a normalement été établi sur la base de faits. Pour comprendre et vérifier une thèse, il est donc possible et souhaitable de la soumettre à l'épreuve des faits : ceux-ci permettent de mieux la comprendre d'abord, de la vérifier ensuite.

Cela implique de trouver les catégories de faits qui peuvent être mis en rapport avec la thèse; de voir s'ils sont en nombre suffisant; d'examiner la manière dont celui qui a émis le jugement a effectué le passage des faits à la thèse; de vérifier par là si les faits n'ont pas été tronqués ou interprétés de façon unilatérale et si d'autres faits n'ont pas été négligés.

De la même manière, si l'on veut élaborer sa propre thèse, il importe de rassembler des faits, de les analyser selon le point de vue proposé (ou choisi) pour pouvoir en tirer des conclusions valables et être en mesure de fonder son propos. Toutes ces opérations doivent être réalisées pour préparer un texte argumenté présentant des arguments qui aient des chances d'entraîner l'accord. La démarche par laquelle on remonte des faits à la loi, de cas particuliers à une proposition plus générale, s'appelle l'**induction**.

Dans le cas où une thèse donnée est à examiner, la démarche peut s'avérer difficile surtout à un certain degré d'abstraction : retrouver les faits susceptibles de la valider (démarche d'induction à rebours) demande une capacité d'analyse assez développée.

Voir, par exemple, ce qui est dit à propos du sujet 7 (p. 28).

Dans le cas où une thèse n'est pas donnée, mais où c'est le scripteur qui est interpellé sur une question donnée, la démarche inductive proprement dite s'impose. Elle devra le plus souvent s'accompagner d'un découpage de la notion centrale du sujet pour déterminer des catégories de faits susceptibles d'être pris en considération.

Avant de présenter en détail la démarche inductive, la notion de *fait* doit être précisée.

A. Les faits : Généralités

Les faits sont souvent banalisés ; nous avons tendance à ne plus voir leur diversité et leur complexité. Nous préférons souvent nous reporter d'emblée à ce qui en a déjà été dit (lieux communs et généralités). La recherche d'une plus grande vérité, à laquelle il a été fait allusion (p. 7), passe par la prise en considération la plus exacte possible des faits concernés, de la réalité visée ou de ses aspects significatifs. Seule cette prise en compte sérieuse permettra de revoir certaines idées toutes faites et de produire des idées neuves. Les méthodes d'analyse des différentes disciplines des sciences humaines (histoire, linguistique, sociologie …) peuvent être ici d'un précieux secours.

B. Définition et caractéristiques

Un fait, c'est une donnée du réel, extérieure à la pensée. Il appartient d'une manière ou d'une autre au monde du perceptible, du sensible. La réalité d'un fait ne se discute pas : elle est vérifiable (si on ne peut pas la vérifier soi-même, on se base sur un consensus à son sujet).

C'est un fait que Robert Schuman fut, avec Jean Monnet, un des promoteurs de l'unité européenne ; que Paris est la capitale de la France.

C'est un fait que *L'Etranger* de Camus comporte deux parties.

C'est un fait que le verbe *regarder* est utilisé trois fois dans le premier *Tropisme* de Nathalie Sarraute.

Comme les exemples cités le montrent déjà, la notion de fait est polyvalente et, dans le travail de réflexion sur un sujet donné, le premier fait à prendre en considération, c'est l'énoncé : fait de langage indiscutable, combinaison de mots simples ou complexes, il est à analyser, à comprendre. Les définitions du dictionnaire constituent d'autres faits parmi lesquels il faut souvent choisir ou qu'il est nécessaire d'interpréter.

D'autre part, la réalité concernée par le sujet supposera que l'on prenne en considération les faits qui s'y rapportent.

- Ces faits peuvent être des données de la réalité matérielle (sujets 11 et 18) ou de l'expérience individuelle (sujets 5 et 14) ; dans chaque cas, on veillera à rassembler une information exacte sur un nombre suffisant de faits représentatifs pour la question abordée. Dans tous les cas, mais particulièrement s'il s'agit de faits d'expérience, on prendra soin de les décrire avec précision.

- Dans d'autres cas, les faits seront puisés dans des textes ; on parle alors de *documentation textuelle*. Celle-ci devra être souvent exploitée, tout particulièrement pour les sujets littéraires. Elle comprend tout ce qu'on trouve dans un texte, ce qu'on peut y observer, percevoir, que ce soit sur le plan des signifiés ou sur celui de la langue : lieux, actants, diégèse, indications de temps, mots, tournures, images … Les idées du narrateur ou de l'auteur relèvent aussi des faits pour autant qu'elles soient suffisamment explicites. Ce qui a été écrit et dit sur ce texte, toute la critique, tient également des faits.

Le recours adéquat aux faits offre l'avantage d'ancrer la réflexion dans la réalité et d'accroître ainsi son impact, d'où l'importance

- d'un choix judicieux
- d'un éventail diversifié de faits.

Le statut de chaque fait doit être précisé au moment où l'on s'y réfère (fait historique, fait tiré de l'observation ou de l'expérience, fait tiré d'un texte, fait qui est l'objet d'un consensus, etc.). En précisant le statut du fait, on veillera autant que possible à signaler sa source si elle est extérieure au scripteur : qui a rapporté ce fait ? pour qui est-il avéré ? De cette manière, on précise également son degré de validité et on reconnaît différentes instances de légitimation.

C. L'exploitation des faits

a) Se documenter ?

Oui. Mais sans espérer trouver dans un livre ou dans un cours une réponse exacte à la question posée. Pour les sujets littéraires, la base de la documentation se composera des œuvres déjà lues et d'éventuels repères d'histoire et/ou de critique littéraire qui permettront de bien analyser et comprendre les faits. Dans beaucoup de cas (pour les sujets de culture générale), les faits seront tirés de l'observation et de l'expérience personnelle ; ils proviendront des connaissances générales et des informations emmagasinées en mémoire. La référence à des ouvrages choisis permettra d'élaborer une grille d'analyse lorsque le sujet est peu ou pas connu de celui qui doit le traiter. Ces ouvrages peuvent être des encyclopédies, des travaux plus spécialisés ou des manuels de vulgarisation, à condition que l'on s'assure de leur qualité.

b) Les différentes phases qui mènent des faits à la production d'idées

Ce n'est qu'à l'issue d'un patient travail de collecte, d'analyse, d'interprétation et de conceptualisation que les faits permettront d'aboutir à des idées. Contrairement à l'opinion couramment admise, en effet, les faits ne parlent pas d'eux-mêmes, c'est nous qui les faisons parler : nous les choisissons, les expliquons, les mettons en rapport en fonction de nos objectifs et de nos catégories de pensée ; les mots que nous utilisons pour en parler les colorent d'une manière particulière. On peut donc difficilement prétendre à l'objectivité en en parlant, tout au moins peut-on s'efforcer d'atteindre une certaine rigueur d'analyse et de rendre compte d'un plus grand nombre d'aspects.

- Lorsque le sujet postule la prise en considération de nombreux faits concernant le référent, on procède d'abord à un inventaire reprenant de préférence les faits que l'on connaît soi-même et ensuite, ceux dont on a une connaissance indirecte, à condition que les informations à leur sujet soient sûres et suffisantes.

- On énonce ensuite, de manière détaillée et explicite, leurs caractéristiques (aspects, structure, fonction) en rapport avec la question posée (voir plan de recherche).

- On classe ces faits de manière à faire ressortir nettement les ressemblances et les différences entre des groupes de faits décrits et on précise sous quel angle on se place pour formuler ces relations.

- On confronte les données ainsi obtenues avec les hypothèses que l'on avait formulées ou avec les idées que l'on avait au départ. On reformule sous forme de propositions (ne pas se contenter de mots isolés) les relations, les jugements qui ont ainsi été vérifiés.

Cette méthode, qui relève de l'induction, s'impose lorsqu'on se trouve face à une réalité à analyser. Si l'objet du travail est un point de vue sur une réalité, elle pourra ne s'appliquer qu'à une partie de la recherche. Dans tous les cas, elle permet d'étayer solidement – si elle est bien menée – les affirmations avancées.

Exemple d'exploitation des faits

Soit le sujet : La pollution est-elle, selon vous, une des fatalités du monde moderne ? (Sujet 18).

Le sujet demande un avis sur la question de savoir si la détérioration du monde naturel est liée de manière inéluctable au développement des sociétés industrielles qui caractérisent l'époque moderne.

Il implique donc d'abord de cerner de manière précise les causes de pollution les plus importantes et leurs effets exacts, pour être à même d'évaluer leur caractère inévitable dans nos sociétés.

Chacun a – malheureusement – à l'esprit quelques exemples frappants et assez récents de pollution (Tchernobyl, marée noire en Alaska, Bhopàl en Inde ...). Il sera cependant peut-être utile, pour avoir une vision plus globale du problème, de consulter un article, un ouvrage sur la question, ou de se référer à une édition récente d'une bonne encyclopédie. Mais si l'on est intéressé par le sujet et attentif à l'actualité, on pourra sans doute récolter d'emblée une série de faits assez diversifiés pour rendre compte de la réalité.

• Ainsi, on pensera aux gaz d'échappement et au chauffage domestique qui rendent l'air des villes irrespirable (Brasilia) et provoquent des pluies acides qui détruisent les forêts ; on mentionnera les fumées industrielles (avec, en outre, des accidents catastrophiques : région de Seveso gravement polluée en 1976 par un nuage de dioxine ; même chose à Bhopàl, en 1984), l'évacuation vers les rivières des déjections d'usine – à papier notamment -, des détergents ; le dégazage des méthaniers, les naufrages de pétroliers.

- On n'oubliera pas les pollutions domestiques dues
  - aux aérosols qui contiennent un gaz, le fréon, attaquant la couche d'ozone, essentielle pour nous protéger du rayonnement solaire ;
  - aux eaux usées contenant, entre autres, des phosphates qui attaquent la faune et la flore des rivières.
- On retiendra encore le réchauffement des eaux par les centrales électriques (qui provoque la mort de la faune et des mutations de la flore) ; les déchets des centrales nucléaires qu'on ne sait où entreposer ; la découverte fréquente de dépôts de matières polluantes insuffisamment protégées (Mellery dans le Brabant en 1989), etc.
- On signalera aussi la pollution acoustique (automobiles, avions à réaction, travail en usine ...), les expériences à caractère militaire, souvent gardées secrètes (explosions nucléaires souterraines, sous-marin nucléaire coulé au large des côtes du Japon en 1989).

Après ce premier inventaire, on peut tenter une catégorisation des faits, faire des regroupements qui permettront, d'une part, de préciser l'étendue de la menace, et d'autre part, les sources de pollution.

On obtient le résultat suivant ;

- air
  - la couche atmosphérique (l'air que nous respirons) est hypothéquée de multiples manières :
    fumées industrielles (+ accidents) ·
    abattage des forêts pour accroître la superficie cultivable
    gaz de circulation et de chauffage
  - la couche protectrice d'ozone se détériore
- eau
  - des rivières : devient mortelle pour la faune et la flore (eaux usées des particuliers et des usines)
  - des mers et des océans : grandes étendus mortes (phoques malades, développement d'algues parasites) ; réchauffement des eaux (centrales)
- terre
  - utilisation abondante des engrais, pesticides, insecticides
  - dégradation et destruction des forêts (Europe et Amazonie)
  - stockage des déchets nocifs dans le monde entier, particulièrement dans le tiers-monde
  - expériences (et accidents) à des fins militaires
  - bruit
  - désertification

Ce regroupement permet de montrer la gravité, l'ampleur du phénomène et la multiplicité de ses causes :

• militaires

• industrielles

• privées

• économiques

On constate également que, dans beaucoup de cas, ce sont des « impératifs » de rentabilité ou la recherche du gain qui sont à l'origine des grandes pollutions. En effet

• l'exploitation aveugle des ressources naturelles et la recherche du profit à court terme

• l'urbanisation accélérée

• l'insuffisance des sciences économiques

• le manque de confrontation avec d'autres sciences aboutissent à privilégier le court terme et font négliger les effets lointains d'actes posés dans le présent.

On le voit, le relevé des faits, leur analyse et leur mise en rapport fournit des éléments précis de réflexion, de clarification de la question posée. Ces éléments semblent montrer que la pollution tend à apparaître comme une fatalité du monde moderne, dans la mesure où le court terme l'emporte et où la volonté – qui doit devenir internationale – de mettre un frein à la dégradation de l'environnement ne réussit pas à s'imposer de manière assez efficace.

IV. AUTRES GRANDS TYPES D'ARGUMENTS

Nous ne nous intéresserons pas tant aux divers types d'arguments (ceux-ci sont codifiés et développés dans les traités de rhétorique et d'argumentation) qu'à quelques démarches fréquemment utilisées dans le raisonnement et l'explication, et qui permettent de produire des arguments solides.[1]

---

1. De manière générale, les arguments émotifs (ou contraignants) seront écartés. Nous entendons par là ceux qui cherchent « à imposer, à faire valoir l'hypothétique pour vrai, à obliger au choix, à mettre devant le fait accompli, à manier l'absurde, à jouer du rapport de forces, du ridicule, de la menace, de l'autorité … ». L. Bellenger, *L'Argumentation*, p. 54. (Biblio. 13). Nous les écartons parce que leur utilisation relève essentiellement de la persuasion (cfr p. 8). On pourra éventuellement leur faire une place dans des textes plus proches de l'essai.

1.   *L'induction causale*

Dans beaucoup de cas, après avoir circonscrit et observé une réalité ou un phénomène, il s'indique d'en rechercher la cause pour pouvoir expliquer la thèse proposée. Cette démarche implique de partir des effets, des résultats pour découvrir ce qui les a provoqués (l'antécédent). Elle est très fréquente dans beaucoup de domaines de la vie sociale : en politique, en économie, en droit, dans le journalisme. En outre, la recherche des causes est souvent liée à la poursuite d'un résultat : la modification d'un état de choses existant passe par une prise en considération de ce qui l'a produit.

Bien menée, cette démarche fournit un argument très puissant. Elle vise à établir un lien nécessaire et constant entre des faits ou des aspects de certains faits. Deux mouvements sont possibles : de la cause vers l'effet et de l'effet vers la cause. Pour une argumentation solide, l'enjeu consistera à ne pas se laisser prendre au caractère purement apparent de certaines causes (ex. : les travailleurs immigrés sont la cause du chômage dans nos pays) et à se rappeler qu'un fait est souvent le résultat de causes convergentes qui sont à rechercher dans toutes les composantes de la situation. Ainsi, un accident de voiture devra, la plupart du temps, être expliqué par la rencontre d'une série de facteurs : la fatigue du conducteur, les conditions météorologiques défavorables, le tracé particulier de la route, etc.

> Aristote distinguait déjà
> – la cause efficiente qui désigne le responsable direct ou indirect d'un ensemble de faits, ce qui produit un effet (le meurtrier, le potier) ;
> – la cause matérielle qui désigne les moyens utilisés, les matériaux mis en œuvre, les circonstances de l'action (l'arme du crime, l'argile du potier) ;
> – la cause finale qui renvoie aux mobiles de l'agent, au but qu'il poursuit en posant l'acte (se débarrasser d'un témoin gênant, produire un récipient) ;
> – la cause formelle qui fait référence au modèle de l'acte en cause, à ce qui rend raison de l'action ou du comportement (pour un meurtre, ce peut être les antécédents familiaux ou la loi du milieu ; pour le potier, ce sera le modèle à partir duquel il conçoit son objet).

Ces distinctions sont opératoires lorsqu'il s'agit de déterminer les causes d'une action plus ou moins consciente et volontaire. Lorsqu'il s'agit de cerner les causes d'une situation ou d'un phénomène, la recherche pourra s'aider de ces catégories, mais elle aura tout intérêt à envisager différents niveaux d'analyse : historique, économique, social, psychologique, etc. Ces niveaux d'analyse sont des points de vue sur la réalité. Pour un phénomène donné, tous ne sont pas également pertinents. La prise en considération de plusieurs niveaux d'analyse conduit à exprimer un ensemble de rapports complexes à l'intérieur d'un système; elle court moins le risque d'une réfutation puisqu'elle s'efforce de saisir le fait (ou la situation) dans sa globalité et ne se limite pas à en souligner un aspect.

Ainsi, pour comprendre la crise économique des pays occidentaux, dans les années 70, on invoquera la crise pétrolière et les conflits du Proche-Orient, mais aussi les désordres monétaires, la concurrence des pays en voie de développement et les innovations technologiques qui supposent des restructurations d'entreprises et une reconversion industrielle.

Tout ce qui précède souligne la complexité de l'induction causale qui doit en général être considérée comme proposant des hypothèses plus ou moins fondées. On ne peut donc que mettre en garde contre les **sophismes de l'induction causale** qui consistent à établir de manière erronée et souvent simplificatrice, une relation causale entre deux phénomènes

– soit qu'on lie deux faits de manière arbitraire (erreur sur la cause), qu'on prenne pour une cause ce qui n'est qu'une coïncidence («c'est parce que X est sous l'influence de Y qu'il n'a pas accepté ma proposition»);

– soit que l'on passe d'une simple succession chronologique à une relation causale (erreur sur la dépendance causale) : «post hoc ergo propter hoc»;

– soit encore que l'on prenne une cause accessoire ou accidentelle pour une cause nécessaire (erreur sur la nécessité causale); ce type de raisonnement est utilisé lorsqu'on veut arguer d'une cause-prétexte avancée après coup («j'ai raté parce que le professeur ne m'a pas compris»);

– soit enfin que l'on inverse la cause et l'effet («il boit parce qu'il n'est pas heureux en amour»)

L'argumentation **pragmatique** dérive du raisonnement causal. Elle consiste à apprécier un acte, une situation ou un événement en fonction de ses conséquences favorables ou défavorables. Par son caractère utilitaire, ce type d'évaluation joue un rôle important dans l'argumentation quotidienne. Sa vraisemblance est telle que la confiance lui est présumée : c'est celui qui le conteste qui doit se justifier. L'argument pragmatique fonde les valeurs de l'utilitarisme : celui-ci affirme que ce qui est utile au plus grand nombre est bon.

Dans son utilisation courante, l'argument pragmatique s'exprime par l'énoncé des avantages et des inconvénients. Il présente des faiblesses dans la mesure où celui qui l'utilise choisit en général, parmi les conséquences, celles qui sont susceptibles de servir sa thèse ; en outre, il élimine les valeurs supérieures puisqu'il ne tient compte que du critère de l'efficacité. Enfin, la hiérarchisation des conséquences d'un fait pose problème : qu'est-ce qui est vraiment favorable ou utile (ou plus favorable, plus utile) ?

2.   *La déduction*

C'est une forme de raisonnement considéré comme rigoureux sur le plan logique et qui consiste à appliquer un principe général à un cas particulier. Tout mouvement de pensée déductif fonctionne sur deux principes :

- le principe de non-contradiction (A n'est pas non-A) ;

- la progression du général vers le particulier (avec des articulations comme *or, donc, ainsi*).

Le modèle en est le **syllogisme** logique dont les formes valides ont été codifiées par Aristote[1]. Les règles qui régissent celles-ci autorisent, à partir de prémisses considérées comme vraies, de déduire une conclusion qui devra également être considérée comme vraie. Le syllogisme est un raisonnement, un enchaînement de propositions et, à ce titre, il peut être correct ou incorrect (valide ou non) selon que les règles qui régissent sa structure sont ou non respectées.

Pour être rigoureux, le syllogisme ne doit supposer aucune proposition étrangère sous-entendue. Par ailleurs, une règle de base du syllogisme est qu'aucun terme ne peut avoir, dans la conclusion, plus d'extension qu'il n'en a dans les prémisses.

Comme l'induction, cette forme de raisonnement est très fréquente et présente un intérêt particulier : elle permet d'obtenir des nouvelles informations à partir de celles qui sont déjà acquises (ce sont les prémisses), donc sans devoir recourir à l'expérience ou à une autre source d'information.

Outre que le syllogisme constitue un moyen privilégié de tout exposé méthodique des connaissances humaines, il occupe une place de choix dans la théorie de l'argumentation. Bien construit, il constitue un argument dont la force de persuasion est élevée.

---

1. L'exemple classique de syllogisme est : Les hommes sont mortels. Or Socrate est un homme. Donc Socrate est mortel.

Dans les discours quotidiens, le syllogisme se présente le plus souvent sous une forme simplifiée appelée **enthymème**. Il s'agit d'un raisonnement dont au moins une prémisse est sous-entendue. Par exemple : «X boit trop; il va se ruiner la santé», se fonde sur la règle générale sous-entendue : «Boire trop d'alcool ruine la santé». Ou, autre exemple : «Les alcooliques meurent jeunes. Le voisin n'en a plus pour longtemps» (la prémisse singulière est sous-entendue : «Le voisin est alcoolique»).

La valeur de vérité de la conclusion dépend totalement de la valeur de vérité des prémisses. La grande différence entre le syllogisme logique (ou formel) et l'enthymème rhétorique, c'est que, dans le second cas, les prémisses sont considérées comme probables. Par prémisses probables, on entend celles qui constituent des propositions vraisemblables de manière générale (un fils aime sa mère) ou dans une culture donnée (ce qui est naturel est bon), celles qui reposent sur des indices sûrs (une femme qui allaite a eu un enfant) ou celles qui reposent sur des indices simples (la cendre indique qu'il y a eu du feu). Aristote a codifié un certain nombre de vérités probables dans sa théorie des lieux.

L'enthymème le plus célèbre est la formule de Descartes : «Je pense donc je suis». Les énoncés déductifs appelés enthymèmes reposant sur un non-dit, on peut même considérer que ce qui est essentiel est précisément ce qui n'est pas dit, à savoir les propositions régulatrices sous-jacentes aux énoncés. Dès lors, la remise en cause du raisonnement passe par la découverte de l'énoncé qu'il cache (parce que souvent généralisateur ou singulier).

Ainsi, quand une déduction à deux termes paraît contestable, on peut la réduire en interrogeant le partenaire sur le sens, la quantité ou la qualité de la prémisse sous-entendue : «Monsieur X sort de telle université. Il est donc un juriste remarquable.» La prémisse sous-entendue est : «Les juristes qui sortent de cette université sont remarquables». On peut demander : «Combien en connaissez-vous ?». Aujourd'hui, on appelle plus couramment *présupposés* ces propositions générales non énoncées sur lesquelles le discours repose.

3. *L'explication*

Cette démarche de la pensée consiste à déployer les significations, à rendre intelligible un terme, un phénomène, une réalité. L'explication se présente généralement comme dotée d'objectivité et jouit donc d'un certain prestige.

Ainsi, la définition et le recours aux faits font partie de ce mode d'argumentation. Ils ont déjà été abordés. Viendront s'y ajouter la description analytique et la narration d'une part, la comparaison et l'analogie d'autre part.

a) Description analytique et narration

Pour présenter une réalité ou un problème, ou certains de leurs aspects, on peut s'appuyer sur la description d'un état de fait, d'une situation, d'un phénomène, ou encore, sur la narration d'un événement qui s'y rapporte ou sur l'historique de la question. Ces démarches, soutenues par une intention argumentative, mettent en relief des faits qui déclenchent l'induction conduisant au principe, à l'idée générale. Par ailleurs, au-delà de leur valeur explicative, la description et la narration renforcent la dimension vraisemblable du discours en faisant référence au réel concret.

> Ainsi, au tribunal, le témoignage des membres de la famille racontant l'enfance malheureuse de leur parent actuellement accusé, impressionnera probablement les jurés.

> Les descriptions des souffrances subies par les habitants de Sarajevo, pendant le siège de la ville, en 1994-95, ont multiplié les réactions de protestation dans les pays occidentaux.

La narration tire sa force du déroulement chronologique – cela vient peut-être de notre goût pour les histoires ; la description, elle, vaut par la précision des faits rapportés et le choix des détails.

Entre **décrire et narre**r, il existe des différences nettes : narrer, c'est respecter la chronologie des faits ou en créer une, imaginaire. Décrire, par contre, c'est classer par étapes ou séquences, par niveaux, par catégories. C'est créer un cadre rationnel avec un fil conducteur ou bien établir une compilation. Dans ce sens, la description est plus difficile, mais aussi souvent plus productive que la narration : celle-ci postule une précision et une exactitude (qui demande parfois une vérification, une critique des sources), mais son principe d'organisation est donné de l'extérieur, c'est le découpage temporel.

La description, par contre, doit reposer sur un principe organisateur choisi par celui qui décrit. Pour le choix de ce principe, plusieurs possibilités existent : hiérarchiser les aspects, du plus important au moins important (quantitativement ou qualitativement), ou opérer un classement thématique (par secteurs de la réalité). Le classement thématique peut se doubler d'une approche centrée sur les grandes catégories d'analyse que sont, par exemple, les niveaux économique, social, culturel, politique, moral, etc. Chaque type de réalité, chaque domaine a ses propres grilles d'analyse (de description) qui vont de pair avec un découpage particulier de la réalité (cfr l'analyse de texte à partir des personnages ou des thèmes – la nature, la famille, etc. – ou celle qui part de la structure, des faits de langue ou du schéma narratif).

b) La comparaison et l'analogie

La **comparaison** est un rapport de ressemblance : elle consiste à rapprocher deux notions pour expliquer les propriétés de l'une par les propriétés de l'autre. Elle est souvent employée pour mettre en rapport deux domaines différents, à savoir le spirituel et le matériel.

Ses ressources sont considérables en matière argumentative. Elle cherche à établir des relations d'identité ou, au contraire, fonctionne par opposition ou par différence. La validité d'une comparaison repose sur une série de critères :

- le choix du système de référence (ceci suppose que l'on ne compare que des réalités comparables et que l'on précise exactement sous quel angle on les compare);

- la prise en considération d'un éventuel changement d'échelle et des variations dans le temps (voir la difficulté qu'il y a à comparer les performances de champions sportifs d'époques différentes);

- la définition exacte (et l'absence d'amalgame) des critères d'évaluation.

Une comparaison est rarement fausse mais on pourra très souvent en montrer la relativité.

L'analogie, quant à elle, est une ressemblance de rapports.

«L'homme au regard de la divinité est aussi puéril que l'enfant au regard de l'homme». Épictète[1]

Thème : l'être humain / la divinité – Phore : l'enfant / l'homme adulte

L'analogie souligne deux rapports. Le premier, le thème, souvent abstrait, est ce qu'on veut prouver; le second, le phore, est ce qui sert à prouver. Le phore est habituellement pris dans le domaine sensible et met en évidence un rapport que l'on connaît pour l'avoir constaté. L'analogie a toujours un côté réducteur parce qu'elle gomme tout ce que le rapport exclut. La réfutation d'une analogie mettra ce fait en évidence : la ressemblance de rapports n'est pas une preuve.

---

1. Cité par Ol. REBOUL, p. 185 (Biblio. 56).

V. ARGUMENTATION ET JUGEMENTS DE VALEUR

On argumente pour rendre acceptable, plausible pour autrui, un point de vue déterminé, un choix parmi des possibles; ce choix est effectué au nom de critères plus ou moins explicites et justifiés, critères qui fondent l'évaluation. Expliquer et défendre le préférable, en quoi consiste l'argumentation, implique un choix de valeurs. Les valeurs supposent, en effet, «une rupture de l'indifférence ou de l'égalité entre les choses, partout où l'une d'elles doit être mise avant une autre ou au-dessus d'une autre, partout où elle est jugée supérieure et mérite de lui être préférée»[1].

L'argumentation est toujours affaire de jugement et tout jugement s'établit en fonction de deux types de critères : ceux qui sont liés au champ concerné, à ce dont il est question, et ceux qui sont liés à la nature du jugement lui-même. Ainsi, on ne se prononce pas de la même manière sur une question de critique littéraire et sur un problème de société comme l'émancipation des femmes, par exemple. Chaque champ est justiciable de critères spécifiques et il convient de s'interroger sur cette spécificité au moment d'aborder une question donnée.

> On peut ainsi se demander quelle est la manière la plus pertinente (appropriée) de juger une œuvre ou un courant littéraire, d'évaluer tel ou tel type de situation. Un enjeu de l'écrit argumenté pourrait être de contribuer à affiner le jugement et à prendre en considération un plus grand nombre de critères.

Le second type de critère à prendre en considération est relatif au type de jugement énoncé. **Trois grandes catégories de jugement** peuvent être détaillées; leur niveau de difficulté est croissant.

– Les premiers sont les jugements qui portent sur les dispositions des sentiments (apprécier – aimer / ne pas aimer) ou de la volonté (vouloir, accepter, admettre et leurs contraires). Ils impliquent avant tout l'individu et la manière dont il peut justifier des choix personnels. Un apprentissage à l'argumentation qui se voudrait progressif concernerait d'abord cette sorte de jugements.

– Les seconds sont les jugements qui portent sur les valeurs modales : possible / impossible, certain / non certain, permis / interdit, nécessaire / non nécessaire, vrai / faux.

---

1. Louis Lavelle, *Traité des valeurs* (Paris, PUF, 1961); cité par A. HELLA, *Précis de l'argumentation.* (Biblio. 21).

Ces jugements sont plus difficiles à établir parce qu'ils postulent une démarche d'analyse et de justification portant sur des faits, des actions, des états. Même si les questions qui les mettent en jeu sont souvent posées de manière dichotomique, ils peuvent, dans pas mal de cas, être formulés de manière fort nuancée (en posant des conditions, des limites, en précisant les circonstants).

– Les troisièmes sont les jugements de valeur proprement dits, ceux qui portent sur les qualités : qualité affective (agréable / désagréable), qualité technique (utile / inutile, efficace / inefficace, bénéfique / nuisible, etc.), qualité esthétique (beau / laid), qualité morale (bien / mal, bon / mauvais). Ils sont sans doute les plus difficiles à élaborer parce que l'accord à leur sujet est le plus malaisé à atteindre de manière sereine : en effet, les critères permettant de les établir dépendent des hiérarchies et des représentations propres à chacun (et au groupe auquel il appartient).

Si l'on veut tenter de présenter quelques-unes des raisons les plus courantes au nom desquelles une réalité se voit valorisée, on mentionnera les **lieux du préférable.** Ce sont des arguments mettant en avant des valeurs ou hiérarchies de valeur reposant soit sur les propriétés internes, les caractéristiques de la réalité concernée, soit sur des éléments extérieurs. Les premiers sont appelés *lieux intrinsèques*, les seconds *lieux extrinsèques*.

Les lieux intrinsèques consistent à mettre en évidence et à valoriser une propriété choisie, donnée comme déterminante.

– L'argument d'existence met en avant ce qui existe (actuellement ou depuis longtemps), est disponible ; il disqualifie le possible ou le probable, ce qui n'existe qu'à l'état de projet. Le proverbe «Un tiens vaut mieux que deux tu l'auras» en est une illustration.

– L'argument de l'essence insiste sur le fait qu'une réalité est le parfait représentant du genre auquel elle appartient ; on insiste sur une qualité qui la définit essentiellement.

– L'argument de quantité consiste à souligner l'importance du tout par rapport à la partie, du grand nombre par rapport au petit nombre, de l'universel par rapport au particulier. Il sert notamment à valoriser l'avis de la majorité.

– L'argument de qualité met au contraire en valeur l'originalité, l'unique, le précieux. Il oppose l'élite au grand nombre.

- L'argument de la cause efficiente valorise ce qui agit efficacement, ce qui produit des effets; cfr le slogan publicitaire : «Avec Sabena, vous y seriez déjà».

- L'argument de la cause finale repose sur le principe suivant lequel la fin l'emporte sur les moyens; il met en avant la pureté des fins.

Il faut remarquer que les lieux sont susceptibles de jouer les uns contre les autres ou de se renforcer mutuellement selon la combinaison.

Les lieux extrinsèques consistent à mettre une réalité en valeur en faisant appel à des éléments extérieurs. Les principaux sont l'exemple, le modèle (ou l'anti-modèle) et l'autorité.

- L'argument par l'exemple consiste à établir la valeur d'un objet ou d'un principe en mentionnant un grand nombre de personnes qui l'apprécient ou l'adoptent (les sondages d'opinion sont des arguments par l'exemple). La faiblesse de cet argument réside dans le fait qu'il privilégie l'aspect quantitatif (ou statistique) : une idée ou un comportement répandu n'en est pas pour autant pertinent ou opportun.

- L'argument par le modèle consiste à valoriser une réalité ou une action en se référant à une instance de qualité (vedette, héros, sportif de renom). Cet argument joue sur la tendance de l'être humain à l'identification et à l'imitation. L'argument par l'antimodèle, au contraire, stigmatise les idées ou les comportements jugés négativement en les rapportant à des instances qui vont susciter une réaction de rejet (Hitler, le fascisme, par exemple).

- L'argument d'autorité tend à justifier une thèse en se basant sur le prestige, le savoir, la compétence de celui qui l'a énoncée. On invoque comme preuve l'avis d'une personne ou d'un groupe, donné comme savant, réputé ou expert en la matière. Cet argument est assez faible, mais il est inévitable parce qu'il permet la transmission du savoir.

VI. CONCLUSION

L'argumentation étant toujours, en dernier ressort, affaire de valeurs, elle ne peut prôner indifféremment telle ou telle thèse : l'enjeu sous-jacent dépasse la circonstance particulière.

De manière générale, on ne peut qu'
tion de savoir si les valeurs prônées se situe
réciprocité intersubjective, nécessaire au b
gage. Permettent-elles l'échange ou, au
en figeant la signification dans une véri
Pour que le processus de communicatio
teur, chaque scripteur doit se rappeler qu
et le réel, il restera toujours un écart, une faille et que
justifie chacun «d'y aller de son mot» (A. Fossion).[1]

---

1. C'est de ce point de vue seulement qu'un correcteur pourra, le cas échéant, mettre en question les options formulées dans un texte d'élève. Il se défendra en effet absolument de porter un jugement personnel sur les idées défendues dans une dissertation ou un essai de ses étudiants.

C
Élaboration du plan détaillé

Après avoir rassemblé les matériaux (faits et idées) permettant d'apporter une réponse aux questions soulevées par le sujet, vient le moment où l'on se prépare à devenir émetteur d'un message, à communiquer les idées issues de la recherche. La première phase de cette étape est l'élaboration d'un plan détaillé du texte que l'on se propose d'écrire.

I. DÉFINITION DU PLAN. SON IMPORTANCE

Le plan est une construction, une disposition particulière des données et des résultats de la recherche, visant à mettre en évidence la logique et la cohérence de la réponse à la question posée. Le but du plan consiste donc à proposer un ordre d'exposition susceptible d'entraîner l'adhésion du lecteur.

Le plan répond d'abord, en effet, à un impératif de communication : tout message verbal quelque peu élaboré (sortant de la communication quotidienne) doit être structuré, faute de quoi l'interlocuteur n'est pas à même de saisir le projet dans son ensemble.

En outre, comme genre spécifique, la dissertation a ses propres règles de développement qui permettent des applications variables, mais qui, pour l'essentiel, sont impératives, étant donné le but (expliquer) et la méthode (analyse critique).

II. CARACTÈRES GÉNÉRAUX DU PLAN DE LA DISSERTATION

Précision

Les idées jugées importantes constitueront la charpente du plan. Elles seront formulées avec précision dans des phrases complètes et non à partir de concepts qui demanderaient encore à être explicités : voir pages 44 et 45. Ces idées devront être développées et le plan comprendra les éléments principaux sur lesquels l'explication se basera.

Par ailleurs, les relations entre idées qui se suivent doivent y être clairement énoncées.

Pertinence

Les idées et les faits rassemblés doivent se rapporter à un aspect précis du sujet. On élimine donc ce qui n'a qu'un rapport vague ou lointain avec la question étudiée ou ce qui constitue une digression.

> Soit le sujet : «Il y aura toujours des âmes artistes à qui les tableaux d'Ingres ou de Delacroix sembleront plus utiles que les chemins de fer ou les bateaux à vapeur» Th. Gautier (sujet 19).

> Le sujet concerne les degrés relatifs d'utilité de deux ordres de réalité bien distincts : la technique et l'art. Gautier défend l'utilité non pratique, esthétique, de l'art.

> Développer l'idée selon laquelle l'opposition entre les deux types d'utilité n'est plus pertinente, puisque les réalités, les objets de la civilisation industrielle ont été magnifiés dans des œuvres d'art (P. Delvaux, M. Thiry ...), amène à un déplacement du centre de gravité de la question (ce qui peut ou non devenir sujet d'une œuvre; l'opposition entre sujets «nobles» et sujets tirés du quotidien) et n'est donc pas pertinent pour cette problématique.

Exhaustivité

Il ne s'agit pas de tout dire à propos du sujet, mais de s'assurer que tous les aspects importants en ont bien été abordés; de vérifier qu'une idée partielle n'a pas pris une extension trop grande ou qu'on ne s'est pas limité à l'explication d'une partie de la question.

> Si, à propos du sujet 7 (Duhamel, sur le cinéma), on traite uniquement du rapport du cinéma à la culture des spectateurs, une partie du sujet restera inabordée : celle qui concerne l'aliénation du public.

Cohérence

L'ensemble des idées peut-il être organisé en un tout qui se tienne ? Certaines idées ne sont-elles pas disparates par rapport à l'ensemble (question du point de vue) ?

> On ne peut tout aborder. Dès lors, il vaut mieux abandonner une idée ou un fait qui ne pourraient pas s'intégrer de manière précise au(x) point(s) de vue développé(s).

Progression

La linéarité et la spatialisation inhérentes à l'écrit impliquent que l'ordre introduit dans la pensée grâce au plan mette en évidence les enchaînements entre idées. Les rapports entre celles-ci peuvent être variés, mais ils doivent être perceptibles. Le but est d'amener le lecteur à franchir sans heurt les différentes étapes qui conduisent à la fin de l'explication ou à la prise de position, celles-ci apparaissant comme le résultat logique de tout ce qui précède. Ce point permet d'insister sur l'idée du texte comme construction finalisée ; il sera encore abordé pages 64 et sv.

III. STRUCTURE DE LA DISSERTATION

La dissertation comporte trois parties bien distinctes : introduction, développement et conclusion. Ces parties ont chacune un rôle et une importance spécifiques et se structurent conformément à leur fonction dans l'ensemble.

1. *Introduction*

Sa longueur est proportionnelle à celle de l'ensemble du texte. Normalement, pour un texte de deux à cinq pages, elle comprend au moins un alinéa et au plus trois.

Elle vise à éveiller l'intérêt du lecteur pour le développement qui va suivre.

Elle pose des jalons, mais n'explique pas encore.

Rôle et structure

* Etablir la communication et intéresser le lecteur en présentant le **thème** (la réalité) dont il va être question. Pour ce faire, on le situera dans un contexte général (actuel ou non) ou on évoquera une situation qui l'illustre bien. L'objectif consiste à partir

des connaissances ou représentations supposées du lecteur pour amener progressivement le sujet.

> Éviter ici les considérations qui banalisent le sujet ou le font remonter à la nuit des temps.

- Présenter la thèse qui va être examinée ou la question à laquelle le texte se propose d'apporter une réponse. Se baser, pour cela, sur la reformulation à laquelle l'analyse du sujet a donné lieu. Le sens des mots-clés (surtout lorsqu'il s'agit de termes abstraits) doit y trouver une première explication qui montre de quelle manière ils ont été compris. Laisser à l'auteur d'une citation la responsabilité de ses dires lorsqu'on présente sa thèse. Il convient, dès lors, d'attribuer celle-ci (*Selon Untel, ...*).

> Éviter de simplifier la problématique, de répéter, même avec d'autres termes, l'énoncé sujet sans rien y apporter.

Ne pas affirmer dès l'introduction : le problème n'est pas résolu, il s'agit de le poser.

- Fournir déjà des points de repère au lecteur en indiquant la direction que va prendre l'exposé, les aspects sur lesquels il va se centrer. Pour cela, prendre appui sur les éléments d'explication déjà fournis dans la reformulation.

> A partir de la reformulation du sujet 8 :
>
> «Le cri, une fois habillé, discipliné, ne perd-il pas de son intensité, de sa force ?» ou «Seuls les grands poètes parviennent sans doute à maintenir la puissance du cri sous l'habit langagier».
>
> Éviter les formules lourdes et trop explicites (comme : «Nous allons d'abord examiner si [...]. Ensuite, nous verrons [...]. Enfin, nous aborderons [...].») qui confèrent au texte une allure didactique et le rendent totalement prévisible.

Le plan de l'introduction sera souvent rédigé après celui du développement puisqu'il dépend du contenu de celui-ci.

En somme, trois questions constituent la matière de l'introduction : *De quoi s'agit-il ? Pourquoi ce problème ? Quels seront les points traités ?*

Style

Autant que possible, donner vie à l'introduction en variant les types d'énoncés (déclaratif, interrogatif...), en étant concret, en faisant référence à l'actualité, en exploitant une anecdote amusante ou étonnante, en citant une formule célèbre (mais pas trop éculée), en

présentant un historique concis, etc. L'humour, l'imprévu, le para-
doxe, la référence à l'actualité peuvent contribuer à susciter l'attention du destinataire.

> Voir des exemples d'introductions assez réussies dans les tex-
> tes cités en annexe (3, 4 et 5).

2. *Développement*

Partie centrale et la plus importante de l'exposé, le développement contient tout le propos ou explication de la réponse personnelle à la question posée.

Contenu et structure

- Il expose, en une suite articulée, un certain nombre d'idées qui
  construisent progressivement l'explication; ces idées sont argu-
  mentées (fondées, développées) et, en général, étayées par des
  faits. Bien exploités, ceux-ci concrétisent et accréditent les idées.
  Le nombre d'idées varie en fonction de la longueur prévue.

- Pour éviter le morcellement, on regroupera les idées sélection-
  nées autour d'axes principaux qui donnent lieu à la formulation
  d'idées *générales*. Le plan se construit donc à deux niveaux :
  les idées principales *et* les idées secondaires. Le développement d'une idée principale et des idées secondaires qui s'y rapportent constituera une *partie* du développement. Le rapport
  idée principale/idées secondaires peut s'inspirer des différents
  types de progression (voir ci-après). Les idées principales ne
  devront pas être illustrées puisque la somme des idées secondaires expliquera l'idée principale.

- Evaluer la quantité et la qualité des faits par rapport à l'espace
  dont on dispose pour l'explication d'une idée.

  > On trouvera un exemple de développement très bien maîtrisé
  > (plus analyse et commentaire) dans les textes 3 et 5 cités en
  > annexes.

3. *Conclusion*

Souvent un peu plus courte que l'introduction, la conclusion
fait la synthèse, pas l'exposé des idées.

Rôle et structure

- Clore l'exposé en rappelant l'essentiel du propos de manière à
  l'inscrire clairement dans la mémoire du lecteur.

On peut ainsi faire ressortir la progression choisie et mettre en évidence :

– les éléments jugés les plus importants s'il s'agit de l'analyse d'une réalité ou de l'explication d'un point de vue;

– la position adoptée s'il s'agit d'un développement critique.

> Éviter la répétition pure et simple de ce qui a été dit.
> Éviter de laisser le lecteur dans l'incertitude, le vague, le doute.

• Signaler éventuellement les prolongements possibles, en rapport avec une thématique plus large, les implications (sociales, éthiques ou autres) de la réflexion menée. Mais ne pas aborder une nouvelle question.

Style

Marquer nettement la conclusion : la détacher par un espace blanc de ce qui précède et donner plus de fermeté, voire d'élégance au style : le vocabulaire peut être plus recherché, la phrase plus ample, le rythme plus pressant ou plus équilibré.

Pour finir :

– une faute à ne pas commettre : conclure sur un point de détail. C'est sur l'ensemble du sujet traité que doit porter la conclusion, ou en tout cas sur le point essentiel dégagé.

– une manie inefficace : celle de la citation en guise de conclusion. Elle provoque souvent une rupture de style et relâche l'attention du lecteur.

– une échappatoire à éviter : la finale normative (*il faut, on doit*) qui crée aussi un effet de rupture dans une démarche qui est avant tout analytique et explicative.

Voir les conclusions des textes reproduits en annexes (3, 4 et 5).

IV. PROGRESSION

1. *Deux axes*

Pour que le texte n'apparaisse pas comme un assemblage plus ou moins hétéroclite et imprévisible d'idées et de faits, mais au contraire, comme un ensemble organisé ayant sa finalité propre, deux axes devront se combiner lors de la construction de son plan :

- celui de la rationalité : l'enchaînement des idées se fera de telle manière qu'une logique s'en dégage. Différents types de progression peuvent être mentionnés ici dont certains seront quelque peu détaillés : progression par catégories, progression chronologique, par la quantité ... L'essentiel est qu'un principe d'organisation ait été adopté et qu'il introduise un mouvement dans l'exposé (du particulier au général ou l'inverse ; du plus apparent au moins apparent, etc.).

- celui de l'argumentation : la dissertation ne vise pas seulement à communiquer un contenu rationnel, neutre, mais à susciter l'intérêt pour un point de vue particulier et peut-être même à entraîner l'accord. Dès lors, la progression devra être pensée comme un «processus intentionnel»[1], un parcours dont le but est de mettre en valeur des représentations, des significations considérées comme justes et pertinentes. Cette mise en valeur relève d'une stratégie de la communication ; elle consiste notamment

  – à soigner particulièrement le début et la fin du développement qui sont des moments capitaux pour la bonne réception du message : la progression sera donc pensée de manière à exploiter au mieux ces lieux stratégiques ;

  – à mettre la thèse soutenue ou le moment-clé de l'explication en lumière par une formulation claire et précise, à un moment choisi avec soin ;

  – à orienter le plan vers le destinataire en essayant de toucher sa sensibilité, de faire jouer son imagination et de soutenir son intérêt. Ce but peut être atteint de diverses manières. Parmi elles, on mentionnera surtout :

    - la qualité des faits évoqués et leur exploitation judicieuse soulignant les aspects les plus significatifs ;

    - l'aptitude à ménager le lecteur, à le prendre en compte en assurant un guidage à la fois efficace et discret. Cette «assistance à l'interprétation»[2] se réalise par des **annonces** lorsqu'on entame une nouvelle partie ou un nouveau paragraphe, par des **synthèses partielles** récapitulant l'apport d'une partie de texte et par des organisateurs textuels situant exactement les idées, les

---

1. Voir N. Lindenlauf, *Savoir lire les textes argumentés,* p. 68. (Biblio. 47).
2. Charolles M., «La dissertation quand même» dans *Pratiques,* n° 68, p. 14. (Biblio. 50).

étapes les unes par rapport aux autres et hiérarchisant les informations;

- le dévoilement progressif du propos qui ménage un suspens par rapport au but visé : les informations nouvelles seront avancées comme des jalons menant vers un terme dont le fin mot ne sera connu qu'au bout du parcours (par opposition à ce qui se passe dans les textes trop prévisibles où l'on sait très vite vers quoi ils tendent).

2. *Nature de la progression*

Selon qu'il s'agit

- d'exposer une question, de la décrire,
- de comparer deux réalités, deux thèses ou deux approches d'un même problème,
- de développer une thèse personnelle sur un problème donné,
- d'expliquer une thèse et ensuite la discuter, voire de lui en opposer une autre,

la progression s'avérera très différente.

La nature du sujet et celle du développement déterminent donc le type de progression. Celle-ci étant une logique, une manière de relier entre elles les étapes du développement, tout enchaînement qui rend compte d'un mouvement de l'esprit, pouvant s'exprimer en termes rationnels, manifestera une progression spécifique. On peut ainsi exposer les résultats d'une recherche en ordonnant les éléments du plus manifeste au plus caché, du particulier au général (ou l'inverse), du passé au présent, du généralement admis (l'opinion commune) au nouveau, etc. De manière générale, on peut donc avancer que, pour chaque sujet, il y a autant de plans possibles qu'il y a d'auteurs et de publics pour les lire.

3. *Quelques manières d'envisager la progression*

Nous présenterons ici quelques types de parcours fort utilisés parce qu'ils découlent de la formulation du sujet ou parce qu'ils se calquent sur des schémas de pensée très fréquents.

a) Dans certains cas, **le sujet indique la progression** à suivre en spécifiant les points à envisager.

> Si vous aviez à incarner, à l'écran ou sur scène, un personnage de la littérature, lequel choisiriez-vous ? Pourquoi ? Comment l'interpréteriez-vous ? (Sujet 20).

> L'exposé sera, ici, presqu'obligatoirement organisé en deux parties : pourquoi ? comment ?

Régulièrement, la structure proposée par le sujet est énumérative ; par exemple : «Quels plaisirs et quels profits ...» (sujet 14). Il sera parfois difficile d'y introduire un véritable mouvement de la pensée. On pourra néanmoins tenter d'ordonner les idées à partir d'un nombre restreint de points de vue hiérarchisés.

Ainsi les plaisirs (et les profits) pourront être présentés en envisageant successivement ceux qui sont relatifs à l'intrigue et à ses différents aspects (histoire, contexte, problèmes ...) et ceux qui concernent la technique romanesque et la langue.

Normalement, on suit l'ordre proposé par le sujet (1° plaisirs, 2° profits). Si ce n'est pas le cas, on explique la modification apportée.

Parfois, on demande d'établir une comparaison de mener une étude parallèle de deux réalités différentes.

> Lecture et voyage. Deux modes de formation et de loisir apparemment bien différents. Expliquez le profit et l'agrément que vous pouvez retirer de chacun d'eux (sujet 21).

> Dans ce cas, on pourra soit aborder successivement les deux réalités, soit faire la comparaison pour chaque aspect envisagé, l'essentiel étant, comme indiqué ci-dessus, d'ordonner les idées de manière à suggérer un mouvement de la pensée.

b) Les progressions linéaires

Elles sont organisées selon une ligne continue de développement présentant un découpage de la matière où les éléments s'enchaînent, s'associent de manière cumulative.

On mentionnera dans cette section :

1. la progression chronologique
2. la progression spatiale ou par catégories
3. la progression par la quantité

1. La progression chronologique

Sauf pour les sujets qui concernent une question d'histoire, ce mode de progression sera rarement indiqué pour la totalité d'une dissertation. Il sera par contre assez souvent utilisé dans une partie du développement, pour opérer une mise en perspective et une actualisation de la problématique abordée.

Le temps (comme l'espace) est une dimension fondamentale de la réalité; il nous permet de percevoir et de qualifier les phénomènes, de mieux comprendre le présent en l'insérant dans une évolution. Il nous permet donc, par exemple, de donner sa signification exacte à un jugement, en le rapportant à un courant de pensée.

Les divisions habituelles du plan chronologique correspondent aux trois grandes catégories temporelles : passé – présent – futur, celles-ci recouvrant d'ailleurs des périodes variables selon les points de vue envisagés. Dans beaucoup de cas, il sera plus judicieux de partir du présent (description de la situation), pour ensuite se référer au passé et y rechercher les causes de la situation et enfin, le cas échéant, envisager le futur (ou les conséquences). On aura alors une structure ternaire de type argumentaire (voir page 72).

> «Le roman n'est plus l'écriture d'une aventure mais l'aventure d'une écriture». Expliquez et commentez cette affirmation de Jean Ricardou, à propos du roman contemporain (sujet 22).
>
> Ce sujet suppose la prise en considération d'une dimension chronologique («… n'est *plus* …»), mais ce ne sera pas l'axe principal du plan qui devra se centrer autour de l'opposition énoncée dans le sujet.

Enfin, lorsqu'on effectue des découpages dans le flux temporel, il importe de ne pas oublier que ceux-ci répondent toujours à une visée interprétative et sont donc proprement méthodologiques et discursifs. C'est pourquoi, les différents découpages particuliers (ou périodisations) font l'objet de consensus variables.

2. La progression spatiale ou par catégories

La dissertation aborde assez rarement des questions concernant l'espace physique (voir cependant le sujet 28). Cette notion d'espace est cependant utile pour faire comprendre la nature d'un découpage plus abstrait, le découpage en catégories. Celui-ci consiste à considérer une question, un thème, comme un espace de signification que l'on peut découper, diviser en secteurs ou en niveaux distincts. L'explication successive de chacun de ces éléments, dans la perspective globale du sujet, permettra de répondre à l'ensemble de la question posée.

> L'étude d'un personnage de la littérature pourra être présentée de cette manière (voir page 38).

Comment ménager une progression dans ce type de développement ?

Par elles-mêmes, les catégories n'indiquent pas de progression ; elles ne présentent pas un ordre intrinsèque. On ordonnera donc les éléments en fonction de leur apport spécifique à la question traitée et selon l'importance qu'on leur accorde dans la stratégie argumentative.

«Belle fonction à assumer, celle d'inquiéteur» A. Gide. Expliquez cette formule en vous référant à la littérature (sujet 23).

Dans quel ordre classer les différents aspects de la fonction d'inquiéteur, qui auront été relevés dans des œuvres littéraires :
– l'action sur l'image que nous avons de nous-mêmes et de nos rapports avec les autres ;
– l'action sur la manière dont nous nous représentons la réalité sociale ;
– l'action sur notre rapport au temps et à l'espace ;
– l'action sur notre rapport au langage ; ... ?

L'ordre sera établi de manière à rendre compte le mieux possible de la beauté de la fonction d'inquiéteur *dans la littérature* (et non en général). On cherchera donc à mettre en évidence ce que l'on estime le plus significatif pour répondre à la question posée.

Autrement dit, la progression sera établie de manière à accorder une place privilégiée (souvent la fin du développement) au point que l'on estime le plus important et que l'on développe avec le plus de force et de précision.

3. La progression selon la quantité

Tout le développement peut être organisé de manière à créer un mouvement d'augmentation ou d'élargissement progressif du point de vue (ou inversement, de restriction, de diminution) : on ordonne alors les arguments de manière qu'une idée donnée se voie appuyée par des éléments de plus en plus significatifs et probants (ex. : on peut utiliser ce type de progression pour démontrer le bovatysme d'Emma dans l'œuvre de Flaubert). Pour critiquer un point de vue, on peut organiser les idées de manière à souligner son effritement progressif.

La progression, par étapes successives, du général au particulier, ou l'inverse, relève également de ce type de progression.

c) Les progressions binaires ou ternaires

Elles sont organisées en deux ou trois mouvements qui se répondent et ont des visées très différentes, chacun concourant cependant de manière spécifique à la construction du point de vue. On distinguera dans cette rubrique :

1. les progressions par opposition
2. les progressions argumentaires

1. Les progressions par opposition

Souvent privilégié dans l'enseignement de la dissertation en raison sans doute du prestige de la dialectique hégélienne et de la survalorisation de la synthèse qui y est liée, le plan par opposition présente l'incontestable avantage de favoriser le décentrement, la distanciation par rapport à son propre point de vue puisqu'il suppose la prise en considération du discours de l'autre. Moyen de formation possible au dialogisme, cette progression n'en n'est pas moins devenue une recette trop souvent appliquée de manière quasi mécanique.

Quelques applications

Lorsqu'on demande d'évaluer une proposition, un point de vue, la démarche comprendra au moins deux moments :

- l'explication (organisée selon une progression spécifique) qui proposera des éléments de compréhension et fera la preuve que la signification, la portée, les implications de l'énoncé on été bien perçues;
- le jugement qui sera le plus souvent élaboré à partir d'un autre point de vue montrera les insuffisances, l'inactualité, les limites de la proposition initiale.

La démarche aboutira soit à admettre l'énoncé de départ, avec des correctifs plus ou moins nombreux et importants, soit à le réfuter et à proposer une autre thèse qui lui sera plus ou moins opposée. En somme, partout où il y a possibilité de jugement, il y a *possibilité* de plan basé sur l'opposition.

> «Améliorer la vie matérielle, c'est améliorer la vie; faites les hommes heureux, vous les faites meilleurs» V. Hugo.
> Expliquez et discutez (sujet 24).
>
> Dans cet énoncé, on peut déceler un amalgame entre la satisfaction des besoins matériels et le bonheur, ainsi qu'entre celui-ci et l'amendement moral. Ces équivalences peuvent être critiquées et mener à des oppositions plus ou moins nettes selon le point de vue développé.

On le voit, l'opposition est une structure très générale qui, en soi, ne produit pas une véritable progression : la progression résultera de la manière dont, dans chaque partie, les éléments seront articulés et ensuite mis en rapport avec ceux de l'autre partie.

Pour préciser le type de mouvement pouvant s'instaurer entre les parties d'un plan par opposition, on peut en spécifier trois catégories.

a. Les plans à opposition contradictoire présentent deux positions qui s'excluent (pour/contre, avantages/inconvénients); ils sont en général induits par une question qui impose de prendre parti entre deux positions.

La télévision doit-elle être considérée comme un moyen de conditionnement ou comme un instrument de culture ?

Il pourrait être intéressant d'apprendre aux étudiants à dépasser la question telle qu'elle est posée en montrant qu'aucune des deux positions n'est satisfaisante. Ceci implique d'examiner les arguments valant pour chacune des deux opinions en les attribuant à ceux qui les soutiennent et qui peuvent être désignés de manière plus ou moins précise («Certains/les journalistes … estiment/prétendent»). L'étudiant ne prend donc pas à sa charge les thèses concernées : il les présente et les évalue. Il aboutit alors à montrer l'insuffisance de la formulation initiale qui se meut dans les extrêmes. Pour sortir de l'impasse, il reste, dès lors, à poser une autre question, ouverte cette fois, question qui admet des (pro)positions et des arguments se situant en dehors de l'alternative et qui peuvent être assumés par le scripteur.[1] Par exemple :

Quel(s) rôle(s) joue aujourd'hui la télévision auprès du public ?

b. Les plans à opposition partielle visent à mettre en relief une partie de l'opposition entre deux termes (avec insistance, soit sur les différences, c'est la comparaison; soit sur les ressemblances, c'est le parallèle). Ils peuvent déboucher sur un choix en faveur d'un des deux termes (c'est l'alternative).

c. Les plans à opposition résolue mettent d'abord en présence deux termes qui s'excluent, mais introduisent ensuite un élément qui permet de dépasser la contradiction et conduit à une sorte de triptyque. C'est dans cette catégorie que se situe le raisonnement dialectique qui admet le principe de contradiction et la production d'une idée nouvelle par rapport aux thèses en opposition. «Est dialectique une pensée capable de se dépasser elle-même, en intégrant des points de vue nouveaux qui con-

---

1. Voir B. Delforce, pp. 46-48 (Biblio. 51).

tredisent ses affirmations premières»[1]. On peut encore faire référence, ici, à Bachelard qui soutient que la pensée créative est polémique par essence et se meut dans le domaine du «pourquoi pas ?». Sa position suppose que l'on admette la relativité des faits et des notions et que l'on substitue le principe de complémentarité au principe systématique d'opposition ou de contradiction. Les thèses ne se nient pas obligatoirement et la synthèse n'est pas une formule «moyenne» intégrant ce qu'il y a de commun aux deux.

N.B. :

Cette démarche (par opposition) est l'une des plus difficiles à bien réussir, mais aussi une des plus productives sur le plan intellectuel. Elle suppose

– une analyse soigneusement différenciée des réalités en présence, de manière à ne pas durcir les oppositions (un tel durcissement aboutit souvent à une vision manichéenne ou dichotomique simplificatrice);

– la prise en considération des facteurs d'évolution aussi bien internes aux réalités envisagées (contradictions) qu'externes à elles (temps, interaction des phénomènes, principe du progrès par bonds, par sauts qualitatifs), ce qui permet de situer – et parfois de relativiser – l'opposition.

On trouvera en annexe un exemple de plan dialectique très complet à propos du sujet suivant : «Familles, je vous hais!». Approuvez-vous ce célèbre anathème qu'André Gide lança dans les *Nourritures terrestres*, en 1897 ? (Sujet 25).

2. Les progressions argumentaires

On regroupe ici deux types de plans qui, partant de faits ou d'un problème bien circonscrits, en recherchent d'abord les causes (qui peuvent être multiples) et développent ensuite leurs conséquences (pour les faits) ou des solutions (pour le problème).

Faits – Causes – Conséquences

Problème – Causes – Solutions

Ce type de développement est surtout utilisé pour des sujets qui concernent des situations concrètes à propos desquelles une évaluation doit être formulée, des remèdes apportés. Il renvoie à la dimension de l'agir et peut donc donner lieu à des structures dynamiques (voir sujet 18, pp. 45-47).

Rappelons que, pour aider le lecteur à bien percevoir la progression, la logique du parcours argumenté, des annonces s'imposent à chacune des étapes; quant aux synthèses partielles, elles résu-

---

1. L. Bellenger, *L'argumentation*, pp. 32 et sv. (Biblio. 13).

ment l'acquis des moments importants et facilitent souvent la transition vers le point suivant.

Les annonces se présentent comme des énoncés assez généraux qui indiquent quel aspect, quel phénomène ou quel type d'élément va être pris en compte. Elles seront claires, explicites et pas trop appuyées.

1 Cette thèse (ou : la thèse de X) soulève quelques objections.

2 Les causes de cette situation sont à rechercher aussi bien sur le plan économique que sur le plan social.

3 Si la lecture offre à chacun la possibilité de connaître, par l'imagination et sans bouger, des destinées, des époques, des lieux qui ne sont pas les siens, le voyage, par contre, propose la découverte immédiate de réalités bien concrètes et tangibles : celles d'autres peuples, d'autres paysages, d'autres sociétés.

Dans ce dernier exemple, des éléments de synthèse de ce qui précède sont d'abord proposés. L'étape qui va suivre est ainsi annoncée comme se situant en opposition par rapport à ce qui a été exposé.

D
Rédaction

«Si je communique avec quelqu'un, je ne dis pas ce que je veux, je dis *ce que je veux que les autres comprennent* – ce qui est notablement différent : je me dois de prendre l'autre en compte, de m'ajuster sous peine de voir ma communication inefficace.»[1]

Remarque préliminaire : le style de la dissertation

En littérature, le style, c'est la marque inimitable qui nous permet de reconnaître une page de tel auteur. En ce qui concerne les autres types de textes, à visée plus pratique ou cognitive, le bon style se caractérisera d'abord par sa *pertinence*, c'est-à-dire par son degré d'adaptation aux circonstances et au public. En dehors de l'usage spécifiquement littéraire, savoir écrire, c'est donc savoir varier son écriture et son style en fonction des buts poursuivis. Ceux-ci seront atteints si, pour un objectif et un public donnés, les qualités de *lisibilité* et d'*efficacité* sont présentes. La dimension littéraire éventuelle de ces écrits est liée à ces qualités.

En ce qui concerne la dissertation, le style visera à mettre en valeur les idées (et les faits qui les étayent), leur explication et la progression dans le développement du point de vue. Tous les niveaux du texte seront donc pris en considération pour favoriser une bonne

---

1. Charmeux E., «Construire une pédagogie efficace de l'écriture», dans *Enjeux*, pp. 69-79. (Biblio. 44).

compréhension du message (lisibilité) et la mobilisation du destinataire en sa faveur (efficacité).

I. LA LISIBILITÉ

Cette qualité suppose que l'on élimine les obstacles à la compréhension du texte. Le rédacteur rapprochera donc celui-ci du lecteur en respectant ses habitudes langagières, en facilitant sa lecture et en recherchant la clarté et la précision. La lisibilité ne suppose pas nécessairement un contenu simple, mais un travail visant à rendre plus aisé l'accès au propos.

1. *Respect du code et du ton de la dissertation*

A. Le code

À un premier niveau, élémentaire, la lisibilité suppose le respect du code de la langue : correction orthographique, syntaxique, propriété des termes, ponctuation …

Rappel de quelques règles de ponctuation souvent négligées

Qu'il s'agisse de marquer des liens logiques, d'indiquer certaines coupures ou les pauses et l'intonation, l'utilisation des signes de ponctuation est essentielle à la bonne compréhension d'un texte discursif.[1]

a) Le **point** marque la fin de la phrase.

Dans l'usage ordinaire, il vaut mieux éviter de séparer des propositions unies par une relation sémantique et syntaxique étroite. Ainsi, dans l'exemple qui suit, on remplacera le point par une virgule.

> Je crois que l'amitié est une des formes d'amour les plus importantes, permettant un très grand épanouissement de soi. Ce à quoi la relation amoureuse ne peut seule parvenir. (Extrait d'un texte d'étudiant)

---

1. Voir *Le Bon usage*, pp. 144 à 174 (Biblio. 4).

b) La **virgule** marque une pause de peu de durée à l'intérieur de la phrase.

1. Dans la coordination, elle s'emploie généralement quand les termes sont coordonnés par une autre conjonction que *et, ou, ni*. Avant *et, ou, ni*, normalement il n'y a pas de virgule ; mais une virgule peut apparaître, notamment quand la conjonction unit des phrases (ou sous-phrases) dont les sujets sont différents :

> La tempête s'éloigne, et les vents sont calmés. (Musset)

2. Lorsque les termes subordonnés ont une valeur explicative, ils sont généralement séparés par des virgules de ce qui les entoure (sauf s'il y a un autre signe de ponctuation).

C'est le cas notamment de la relative non déterminative :

> Nos amis, qui sont venus hier, sont opposés à cette démarche.

C'est le cas également du complément adverbial qui s'intercale entre le verbe et son complément essentiel :

> Telle Rachel, elle veut trouver, dans le désespoir que lui a causé la perte de son jeune enfant, le prétexte à son manque d'amour pour Chantal et donc, pour Dieu. (Extrait d'un texte d'étudiant)

3. La virgule est utilisée, pour des raisons de clarté, lorsqu'on veut indiquer qu'un terme ne doit pas être rattaché à celui qui le précède immédiatement :

> Zénon atteint une connaissance de soi, de la vie, que je rêve d'atteindre pour moi-même (*que* a pour antécédent *connaissance* et non *vie*). (Extrait d'un texte d'étudiant)

4. Lorsque le complément adverbial est placé en tête de la phrase ou de la proposition, il est souvent suivi d'une virgule, surtout s'il a la forme d'une proposition :

> Parce que j'ai besoin de cette recherche, j'emporterai certainement *L'Œuvre au noir* de M. Yourcenar. (Extrait d'un texte d'étudiant)

c) Le **point-virgule** marque une pause de moyenne durée.

Dans une phrase, il peut jouer le rôle d'une virgule pour séparer des parties d'une certaine étendue, surtout lorsqu'une de ces parties au moins est déjà subdivisée par une ou des virgules :

> La voix était bien timbrée ; l'élocution racée ; la robe impeccablement simple, sans un bijou. (Vl. Volkoff, cité dans *Le Bon usage*, p. 176)

Il peut aussi unir des phrases grammaticalement complètes, mais logiquement associées :

> Un paysage pourra être beau, gracieux, sublime, insignifiant ou laid ; il ne sera jamais risible. (H. Bergson, cité dans *Le Bon usage*, p. 177)

Mais un point-virgule ne sépare pas un verbe de son complément essentiel ni une proposition conjonctive de la proposition principale dont elle dépend.

> Il (Gide) sait aussi que la sclérose est la pire des choses pour l'humanité ; puisqu'elle est sa fin. En effet, un peuple qui cesse de réfléchir (...)[1].

> Le point-virgule n'est pas approprié dans ce cas.

De manière générale, le rédacteur, veillera à recourir fréquemment aux ouvrages de base lui permettant de contrôler, de préciser, voire de corriger ses connaissances langagières en français.[2]

B. Le ton de la dissertation

Le propos de la dissertation (explication et justification cohérentes d'idées) et les circonstances de sa production (travail par lequel l'étudiant doit prouver sa maîtrise d'une forme de discours) supposent l'utilisation du niveau médian ou même soutenu de la langue, par opposition au niveau familier ou relâché. On évitera donc les mots et les tournures familiers, populaires ou argotiques (*ça, bouquin, boulot* ...) ; on n'abusera pas des tours exclamatifs, des interjections, des points de suspension, des interrogations directes surtout formulées en série pour résumer, par exemple, les questions qui se posent à propos d'un sujet.

D'autre part, la langue familière et journalistique use volontiers d'expressions à la mode, de tournures toutes faites ou de termes empruntés à des langages techniques. Ainsi, par exemple, l'expression *au niveau de* utilisée à tort et à travers (pour *dans, du point de vue de, en ce qui concerne* ...), les verbes *solutionner, positionner* ...[3]

Enfin, la subjectivité du scripteur ne sera pas mise au premier plan dans l'ensemble du texte et, de la même manière, il ne sera pas fait appel explicitement à la complicité du lecteur. C'est le propos,

---

1. Extrait d'un texte d'étudiant (sujet 10).
2. Deux ouvrages au moins lui seront indispensables à cet effet : M. Grevisse, *Le Bon usage* et J. Hanse, *Nouveau Dictionnaire des difficultés du français moderne*. (Biblio. 4 et 7).
3. Consulter J.-P. Colignon et P.-V. Berthier, *Pièges du langage*. Tomes 1 et 2. (Biblio. 8).

l'exposé des idées qui occupera le devant de la scène. La première personne du singulier pourra être utilisée au moment où le scripteur prend position et affirme son point de vue, mais il n'en sera pas fait un usage abondant. La personnalisation du propos se manifestera surtout dans la manière d'expliquer et de justifier.

2. *Vocabulaire et structure des phrases*

A. Vocabulaire

- Limiter l'usage des termes relevant d'un jargon ou d'un vocabulaire technique ou trop spécialisé. Dans certains cas, la précision exigera que l'on utilise des termes spécifiques au domaine abordé. Mais le souci d'éviter les mots courants peut parfois jouer de mauvais tours : ainsi, par exemple, le mot *actant*, parfois utilisé dans les copies pour *personnage*, a une signification technique qui ne coïncide pas avec celle du terme ainsi remplacé (l'actant peut être un individu, mais aussi un groupe et même une abstraction ou un objet).

- Un texte est difficile si les mots sont longs et si le vocabulaire est abstrait et technique. A l'inverse, le même texte sera plus facile si les mots sont relativement brefs, concrets, actifs. Le rédacteur visera donc à expliquer les termes abstraits, à intéresser et à impliquer le lecteur en utilisant des mots qui parlent aussi à la sensibilité et font appel à l'imagination (dans les limites imposées par le genre, évidemment).

Quelques moyens pour y arriver

- Donner des définitions : non pas celles du dictionnaire, mais des formulations qui précisent, concrétisent une notion :

    «L'inquiétude : le non-repos ; l'inquiéteur : celui qui éveille, alerte, dérange».[1]

- Utiliser des images (comparaisons, métaphores) pour mieux se faire comprendre.

B. Structure des phrases

Des phrases longues, dont la structure est compliquée ou peu habituelle, diminuent la lisibilité. Ainsi en va-t-il des phrases où le sujet et le verbe (ou le verbe et son complément direct) sont fort éloignés l'un de l'autre ou encore des phrases dont la continuité est coupée par de multiples incidentes. La phrase longue n'est pas nécessairement

---

1. Extrait d'un texte d'étudiant sur la fonction d'inquiéteur (sujet 10).

difficile à lire si elle est bien construite et suffisamment ponctuée : la virgule et le point-virgule offrent à cet égard beaucoup de possibilités.

> « Il est possible de s'opposer à cette opinion et nous la réfute-rons en soutenant qu'elle est rarement vérifiée et que plus sou-vent l'expérience courante la dément et la contredit, et je prendrai pour commencer un exemple banal ».[1]
>
> La quadruple utilisation de la conjonction *et* pour relier des élé-ments qui jouent des rôles syntaxiques différents rend cette phrase peu lisible. Autre formulation : « Cette opinion est con-testable. Nous montrerons qu'elle se vérifie rarement et que l'expérience courante le contredit assez souvent. Je prendrai, pour commencer, un exemple banal ».

Pour améliorer la lisibilité, on veillera à rendre la construction de la phrase bien nette et on fera en sorte que chaque « sous-phrase » (proposition ayant un sens en elle-même) soit clairement délimitée et ne contienne pas plus de mots que le lecteur peut en saisir à la fois pour garder le fil du discours (*empan*).[2]

Par ailleurs, il faut savoir que c'est *le début de la phrase* qui attire le plus l'attention : mieux vaut, dès lors, prendre l'habitude de mettre le(s) mot(s) important(s) en tête. Si la phrase est construite dans ce but, ils peuvent être mis tout à la fin. C'est en effet ce qui se trouve au milieu de la phrase qui est le moins bien retenu.

On évitera donc de commencer les phrases par des formules qui rejettent le véritable sujet de l'énoncé dans une proposition subor-donnée et n'ont d'autre fonction que d'insistance ou métadiscursive (donnant des informations sur les règles de fonctionnement du dis-cours). C'est souvent le cas des propositions impersonnelles (« il s'agit de ... ») et des propositions qui commencent par un présentatif.

> Exemple de ces formules : « Il apparaît clairement que ... », « L'analyse montre que ... ».

3.   *Fluidité et cohésion du discours*

Un texte ne peut être défini comme une suite de phrases : le sens se construit à partir des rapports instaurés entre énoncés et entre groupes d'énoncés[3]. Deux grands types d'éléments contribuent à lier les éléments d'un texte.

---

1. Exemple cité par A. Arenilla-Béros dans *Améliorez votre style,* n° 79. (Biblio. 11).
2. Ce sens du mot *empan* est récent et surtout utilisé en psychologie (*empan de mémoire*). *Grand Robert,* 1985.
3. Pour une analyse fonctionnelle des phrases en contexte, voir B. Combettes, *Pour une grammaire textuelle. La progression thématique.* (Biblio. 18).

a) Les **connecteurs** regroupent les coordonnants qui ont une fonction additive, les subordonnants qui ont une fonction intégrative et une série de termes ou locutions de valeurs diverses (temporelle : *plus tard,* spatiale : *ailleurs,* argumentative : *en revanche, de toute manière* ou métadiscursive : *par exemple*).

Les connecteurs permettent de relier les propositions entre elles, d'articuler les énoncés ou groupes d'énoncés et de concourir ainsi à la construction d'une structure de texte. Les liens exprimés au moyen de connecteurs contribuent à la cohésion du discours. Celle-ci s'oppose au style haché, elliptique, surponctué (phrases très courtes où subordination et coordination sont pratiquement inexistantes). Comparez les deux extraits suivants :

> « La locomotive ralentit son allure. La vitesse tombe peu à peu. Les voyageurs rassemblent leurs paquets. Frédéric met son manteau. Une dame a perdu son enfant. Le train s'immobilise à quai »[1] et « Tandis que peu à peu la locomotive ralentit l'allure, chacun se prépare, rassemble ses paquets ; Frédéric met son manteau, un dame a perdu son enfant. Voici le train à quai ».

Dans une dissertation, discours où l'articulation joue un rôle important, on exploitera donc au mieux tous les mots et les expressions qui permettent d'établir des relations entre énoncés ou parties d'énoncés : conjonctions, certains adverbes ou locutions adverbiales, prépositions ou locutions prépositionnelles ... (voir en annexe 1 une liste de ces mots et expressions).

b) **Les anaphores** jouent un rôle déterminant dans la cohésion textuelle. Par *anaphores*, on entend un réseau de marqueurs qui reprennent un élément déjà mentionné dans le contexte proche. Les anaphores ont pour fonction d'assurer le rappel de ce dont il est question, du thème à propos duquel on énonce quelque chose. On distingue les *anaphores grammaticales* des *anaphores lexicales.*

- Les *anaphores grammaticales* sont assurées par un nombre fini d'éléments grammaticaux de différentes natures qui, en dehors de leur rôle anaphorique, peuvent avoir d'autres fonctions grammaticales. Ce sont les pronoms personnels de la troisième personne, les pronoms et déterminants relatifs (*qui ...,* *lequel ...*), possessifs et démonstratifs, certaines locutions verbales (*ceci dit, le faire ...*). Ces anaphores contribuent à la

---

1. Exemple cité par A. Arenilla-Béros dans *Améliorez votre style. Ex.* n° 77. (Biblio. 11).

cohésion du discours si elles sont utilisées de manière à éviter toute ambiguïté.

> Exemple d'ambiguïté dans l'utilisation de l'anaphore grammaticale : «Le début de ce travail a été surveillé par un architecte. *Il* en a tracé les plans, mais *il* a ensuite été pris en charge par l'entrepreneur».

- Les *anaphores lexicales* sont assurées par des noms. Il peut s'agir de la répétition pure et simple d'un terme, avec ou sans changement de déterminant, ou d'une reprise par synonyme ou par nominalisation; dans ce dernier cas, un nom reprend une phrase, un paragraphe ou même une partie de texte en le résumant et/ou l'interprétant. Seule une partie des références de ce contexte verbal est alors reprise. Ce type d'anaphore peut permettre d'annoncer un développement nouveau dans le discours, il joue donc à la fois sur la cohésion et sur la cohérence (enchaînement des arguments).

> «Certains écrivains nous font revivre la Résistance et les horreurs qu'amena avec lui le «Führer»; ainsi, Joseph Kessel dans *L'Armée des ombres*. Toutes *ces révélations ou précisions* sur des événements passés donnent au lecteur à réfléchir : admirer ou s'indigner, il peut le faire en connaissance de cause.»[1]

On le voit, les anaphores lexicales, par la reprise qu'elles supposent, favorisent la continuité thématique du discours. Elles permettent aussi d'éviter la répétition pure et simple d'un terme ou d'un groupe de mots. Elles seront particulièrement utiles lors de la formulation de conclusions partielles.

4. *Subdivisions du discours*

La lisibilité suppose encore que l'on balise le parcours du lecteur en lui ménageant des temps forts et des temps faibles (un rythme de lecture) et en lui fournissant des repères précis pour lui permettre de se situer à chaque moment dans le texte. L'organisation du discours en parties et en paragraphes répond à cette nécessité. Elle consiste à partager le temps de lecture et de compréhension en moments plus brefs possédant leur unité et, de ce fait, plus faciles à englober, à mémoriser.

---

1. Extrait d'une dissertation présentée dans *Bonnes Copies de bac*. Tome 1. (Biblio. 34). Les anaphores grammaticales sont soulignées, l'anaphore lexicale est en italiques.

A. Le paragraphe

Le paragraphe est un signe de ponctuation spécifiquement textuel; c'est la plus petite subdivision au sein de laquelle se réalisent les propriétés de base du texte : unité thématique, cohérence, cohésion et progression. Il est composé d'un ensemble d'énoncés qui développent un aspect du propos et possèdent donc une cohérence sémantique. Il se marque, dans la disposition du texte, par l'alinéa, c'est-à-dire une séparation d'avec ce qui précède et ce qui suit (début à la ligne, en retrait, après un petit intervalle laissé en blanc).

Quelques règles de composition du paragraphe

1. Dans tout paragraphe, une unité de signification (phrase de base porteuse d'un minimum d'informations cohérentes) est privilégiée et perçue comme essentielle. Elle est souvent exprimée dans la première phrase et elle constitue alors une annonce de ce qui va être développé. Cette unité est appelée *idée générale* (voir p. 63), c'est l'énoncé de l'argument.

2. Toutes les autres unités de signification sont reliées à cette unité principale, la complètent sémantiquement. Autrement dit, le paragraphe se présente comme l'explication, le développement de l'argument (par un raisonnement, l'explication de ses différents aspects ou par l'évocation de faits).

3. Dans un paragraphe, on ne trouve aucun élément de signification qui ne puisse être directement rattaché à l'idée principale.

4. Si le paragraphe a une certaine étendue, il se termine de préférence par un énoncé de synthèse qui en reprend les principaux éléments de signification. En outre, cet énoncé pourra contenir un terme ou une expression annonçant déjà le paragraphe suivant. Ce terme, repris ou exploité au début du paragraphe suivant, permet de ménager la transition et d'assurer la progression.

> «Le monde de la publicité nous entraîne à l'abdication s'il nous conduit à ne nous livrer qu'à ce qui est facile. Bâtir son bonheur sur ce seul modèle est un manque de conscience.
>
> Cette violence est dite ultime parce qu'elle constitue le bouquet final, l'apothéose. La vie contient de multiples occasions d'agression, de violence qui peuvent nous causer des ennuis ou des problèmes. Et l'ultime violence n'est pas de créer un problème de plus, mais au contraire de nous faire croire qu'il n'y en a pas. L'ultime violence de la publicité, c'est son sourire qui nous dit :'Vous n'avez pas à avoir de problèmes, la vie est

belle, tout le monde est heureux, vous voyez comme c'est simple ?».[1]

Les deux premières phrases citées sont centrées sur la facilité (et le manque de conscience) à laquelle nous invite la publicité. Le paragraphe cité en entier est centré sur la violence qu'exerce la publicité, violence mise en rapport direct avec l'idée de facilité à laquelle aboutissait le paragraphe précédent. De cette manière, la transition est naturelle et ne requiert pas l'utilisation de formules lourdes comme :

> «Nous allons maintenant examiner [...]» ou «Puisque la vie de l'esprit n'est pas constituée de lecture, de quoi donc l'est-elle ? Nous avons déjà répondu en partie à cette interrogation lorsque nous avons envisagé [...]».[2]

> **N.B.**
>
> L'interrogation, nous le verrons plus loin, peut être une bonne manière d'interpeller le lecteur, mais elle n'est pas la plus efficace pour annoncer ce qui suit : elle trahit en effet souvent une difficulté à assurer la continuité du discours.

B. Paragraphe et alinéa : remarques pratiques

L'alinéa étant une manière de marquer les divisions d'un texte, et le paragraphe, la mise en œuvre de cette partition sur les plans sémantique et syntaxique, on aura, en général, autant d'alinéas que de paragraphes. Un long paragraphe pourra éventuellement être divisé en deux ou trois alinéas. Mais on évitera le morcellement du texte en alinéas très courts et nombreux.

C. Paragraphes et parties du texte (voir aussi page 63)

Plusieurs paragraphes peuvent former une partie du texte : pour marquer ce regroupement de paragraphes autour d'un aspect important de l'explication, on peut les séparer de ce qui précède et de ce qui suit par un espacement plus important (blanc).

---

1. Extrait d'une copie d'étudiant sur le sujet suivant : «La publicité est l'ultime violence du monde moderne en ce qu'elle tend à nous faire désirer l'indésirable» (sujet 26).
2. Extrait d'un texte d'étudiant sur le sujet suivant : «La lecture est au seuil de la vie spirituelle : elle peut nous y introduire ; elle ne la constitue pas» M. Proust (sujet 27).

II. L'EFFICACITÉ

En matière d'écriture, c'est «la faculté de rendre un texte *actif*. Actif au point de convaincre, de mobiliser, de captiver» (J.-P. Laurent) ou encore, c'est l'aptitude d'un texte à atteindre son but, c'est-à-dire être lu avec intérêt et, pourquoi pas ? avec plaisir, ce qui n'exclut pas, au contraire, le sérieux et la rigueur.

N.B.

La première condition pour qu'un texte soit lu avec intérêt est que le lecteur perçoive sa motivation, un vouloir-dire lié au propos, donc au contenu. Le style, lui, met ou non les idées en valeur.

1. *Travail d'élagage*

«Travailler *une matière, c'est en général en retrancher*» (Barthes, à propos du travail du style).[1]

On emploie souvent trop de mots, trop de phrases parce qu'on est embarrassé pour exprimer son idée. La concision ne consiste pas tant à faire des phrases courtes plutôt que des longues, mais à ramasser, à condenser, à épurer l'idée dans une forme de plus en plus serrée : *chercher l'intensité plutôt que la quantité.*

«Par l'intermédiaire des panneaux, de la télévision et des journaux, nous sommes assaillis chaque jour par une foule considérable de messages publicitaires. Il s'agit là d'un phénomène répandu au sein de notre société dite capitaliste, et que le monde moderne a produit à des fins diverses.» (Deux premières phrases du texte).[2]

Idées exprimées :

abondance des messages publicitaires dans la société capitaliste; diversité des moyens utilisés. Ces messages nous assaillent.

Style :

– lourdeur du complément prépositionnel au début de la 1re phrase;

– expression relativement maladroite : «une foule considérable de»;

– la seconde phrase est vague et générale, partiellement répétitive et lourde («un phénomène que le monde moderne a

1. Cité par Timbal-Duclaux dans *L'Expression écrite.* (Biblio. 27).
2. Extrait d'une copie d'étudiant (sujet 26).

produit»).

En voici une reformulation plus succincte : «Un grand nombre de messages publicitaires nous assaillent à chaque moment de la journée : dans notre société de libre marché, tous les médias (panneaux, télévision, journaux) sont investis par les annonceurs».

– suppression du complément prépositionnel, des termes vagues et abstraits (*phénomène, fins diverses ...*) et de la tournure impersonnelle («il s'agit là»);

– forme active;

– une phrase au lieu de deux : un lien d'explication est introduit entre les propositions. On évite ainsi la tournure impersonnelle (2ᵉ phrase) et la juxtaposition des énoncés.

Dans ce travail d'élagage, on visera aussi à supprimer les précautions oratoires inutiles[1], les précisions méthodologiques superflues parce que générales ou évidentes, les périphrases qui diluent le propos et distraient l'attention.

«Beaucoup de critiques se sont déjà penchés sur cette question, mais ils n'ont pas réussi à apporter de réponse satisfaisante» ou «Avant de répondre à la question, il sera utile de préciser d'abord les termes du sujet».

On veillera encore à centrer la phrase sur les termes véritablement significatifs et à lui donner autant que possible un sujet et un verbe pleins plutôt qu'un sujet neutre ou impersonnel et un verbe copule, auxiliaire ou impersonnel[2]. En conséquence, on évitera les tournures impersonnelles et on ne multipliera pas les phrases centrées sur le verbe *être*.

Enfin, on évitera le style nominal (abondance de noms, surtout s'ils sont abstraits, ou phrases sans verbe, centrées sur un nom).

«Le raisonnement argumentatif puise dans les techniques de questionnement ses possibilités d'existence, d'enrichissement et de renouvellement»[3].

Phrase lourde et compliquée : 18 mots dont 9 mots-outils et 9 mots signifiants parmi lesquels 3 mots simples (*puise, techni-*

---

1. Les précautions oratoires inutiles sont celles qui expriment les hésitations, l'embarras du rédacteur. Une précaution oratoire pourra, par contre, être indiquée au moment d'aborder un point particulièrement délicat de l'exposé.
2. Les verbes *copules* servent à rattacher l'attribut du sujet à celui-ci; les verbes *auxiliaires* servent à former les temps composés et le passif, *Le Bon usage*, pp. 1126 et 1144-1157. (Biblio. 4).
3. Phrase tirée d'un livre de rhétorique, citée par Timbal-Duclaux, p. 86. (Biblio. 27).

que, existence) et 6 mots complexes, lourds et abstraits (dont 4 finissent par *-ment*).

Reformulation : «L'argumentation existe, s'enrichit et se renouvelle grâce aux diverses formes du questionnement».

Quelques conseils pratiques pour améliorer les phrases

- Découper les phrases trop longues en phrases courtes, en les coupant aux jointures.

- Placer la subordonnée en tête : «Dès *qu'il arrivera, je me mettrai en route*» ou mieux encore : «Dès *son arrivée, je me mettrai en route*».

- Utiliser l'apposition, l'incise, pour simplifier l'énoncé : «Quoiqu'elle *soit malade, elle est toujours souriante*» devient : «*Malade, elle est pourtant toujours souriante*».

- Remplacer la subordonnée par un complément prépositionnel, un nom, un participe : «*(Si vous avez) Avec un peu de chance, vous pouvez gagner*», «Depuis *(qu'ils ont déménagé) leur déménagement, ils ont engagé* [...]», «*Il vint avec un habit (qu'il avait loué) de location*».

N.B.

Ces deux derniers conseils visent à alléger le style. Ils ne signifient pas qu'il faille s'efforcer d'éviter la subordination : celle-ci caractérise l'écrit et permet de hiérarchiser les propositions en les articulant. Il s'agit plutôt d'exploiter la variété des ressources langagières.

2. *Etre positif et actif*

A. Le doute détonne

Au moment de l'élaboration de la réflexion, le doute est salutaire, mais au moment de la communication, l'étalement des doutes que l'on aurait encore donne l'impression d'une indécision, d'une difficulté à choisir. Il ne s'agit évidemment pas ici de conseiller l'affirmation péremptoire : ce que l'on avance sera soigneusement situé et nuancé si c'est nécessaire[1] ; mais on progressera dans le développement de la pensée sans multiplier les tournures et expressions qui suggèrent l'hésitation, qui signifient l'absence de conviction ou de choix entre des possibilités.

---

1. L'utilisation adéquate des termes de modalisation (comme *sans doute, peut-être, certainement*) par lesquels le locuteur porte une appréciation sur la valeur de vérité de son discours, jouera, dans ce but, un rôle important.

On évitera donc des formules comme :

«C'est un sujet difficile que celui des rapports entre [...]» ou «Il semblerait que l'auteur ait voulu nous inviter à réfléchir à [...]» ou «Nous allons essayer de comprendre ce que l'auteur a voulu dire».

B. Affirmez

Les tournures négatives et les tournures passives sont moins efficaces que les tournures affirmatives et les tournures actives.

> «Beaucoup de grandes villes, à la différence des stations balnéaires ou de montagne, peuvent *se passer* de l'arrivage massif de touristes. Certains endroits sont donc des lieux de tourisme *sans baser* toute leur organisation sur celui-ci, qui *n'est plus* la source principale de revenus. C'est pourquoi, ils préservent leur beauté, leur «magie» mieux sans doute que les stations où la motivation essentielle des touristes *n'est pas* la découverte de richesses, *ni celle* de l'atmosphère neuve d'une ville inconnue».[1]

Dans ce passage, les trois phrases contiennent au moins une négation ou une idée de négation. Cette multiplication des marques de la négation, outre qu'elle nuit à la lisibilité, donne l'impression que le rédacteur éprouve des difficultés à cerner sa pensée et confère au texte une tonalité (négative) peu favorable à sa communication.

Pour les tournures passives, voir exemple de la page 85.

C. Faites agir vos idées

Chaque fois que c'est possible, éliminez de vos textes les termes et tournures qui renvoient aux opérations mentales effectuées ou qui sont des commentaires formels.

> «*Transparaît derrière ce phénomène le fait que* chaque firme tente de vendre et que cela constitue sa seule préoccupation. *Le processus est identique pour* les affiches qui vantent des marques de briquets [...]».[2]

Les tournures désignées par les italiques forment un écran de commentaire entre les idées et le lecteur. N'aurait-il pas été plus efficace d'écrire : «Manifestement, chaque firme se pré-

---

1. Extrait d'un texte d'étudiant sur le sujet suivant : «On sait qu'un des effets du tourisme, là où il atteint sa plus grande densité, est la destruction de la beauté, de la poésie, de la solitude, dans les régions sur lesquelles il se répand» (sujet 28).
2. Extrait d'un texte d'étudiant sur la publicité.

occupe avant tout de vendre, et les publicités pour des marques de briquets illustrent bien ce fait» ?

Donnez donc la parole à vos idées en les amenant, sans intermédiaire, sur le devant de la scène du texte. Préférez les verbes qui expriment un procès (une action en cours) à ceux qui présentent un constat. Et enfin, n'hésitez pas à rapprocher les faits dont vous parlez du moment de votre parole (par opposition à l'attitude de l'historien qui distingue nettement le moment où s'est effectué ce dont il parle du moment où il parle). Ce sont les *temps verbaux* qui font ici la différence : le présent, le passé composé et le futur seront, en général, à préférer au passé simple, au passé antérieur, à l'imparfait et au plus-que-parfait ; mais le présent atemporel ou gnomique ne sera utilisé qu'avec parcimonie.

> «On la [la femme] voit toujours travaillant et s'affairant à son ménage ou à sa cuisine, soucieuse du menu à préparer et menant les enfants en classe ; les premiers manuels nous présentent cette image de la maman de Rémi et Colette, et c'est bien souvent la conception de la femme que les bambins se font».[1]

La première partie de la phrase compose un tableau animé et suggestif qui s'impose au lecteur ; le verbe de perception (*voir*) renforce l'impression.

Les trouvailles du langage, les formules qui mobilisent l'attention ne devraient pas non plus être négligées. Leur emploi ne peut cependant être exagéré.

> «Tout se vend, donc tout se vante».[2]

> «Changer, chanter, faire comprendre la vie : voilà résumées les principales destinations de la communication littéraire».[3]

3. *Qui est qui ?*

L'efficacité d'un texte dépend aussi des rapports qu'il instaure entre le scripteur et son (ses) lecteur(s). Dans le cas d'une dissertation, ces rapports seront, en général, implicites puisque le *je* s'y pose face au *tu* par le biais d'une explication ou par celui d'un point de vue sur une question déterminée.

---

1. Extrait d'une dissertation reprise dans les *Bonnes Copies de bac,* tome 2, p. 138. (Biblio. 41).
2. Extrait d'un texte d'étudiant sur la publicité.
3. *Bonnes Copies de bac,* tome 2, p. 39. (Biblio. 41).

A. Le destinateur

Il dispose d'une série de moyens qui lui permettent de marquer sa présence : son texte n'a pas à apparaître comme un discours atemporel qui s'énonce tout seul (effet produit par l'utilisation de l'impersonnel, du présent atemporel ou de sujets génériques du type *les hommes*), mais comme une parole concrète d'un individu déterminé. Il ne s'agira pas de répéter à tout moment : «Je pense que ...», mais d'insérer à bon escient dans le texte des précisions spatio-temporelles qui se rapportent à la situation d'argumentation, au moment de la parole et au lieu de l'énonciation : en parlant, nous montrons un point de l'espace *et* du temps qui devient ainsi un point de repère; nous nous situons dans un champ argumentatif déterminé et par rapport à d'autres qui se sont prononcés sur la même question. En rapprochant la problématique du moment où l'on parle, on l'actualise, on en fait une question posée aux interlocuteurs.

> «Il y a longtemps que la publicité n'est plus dehors mais *chez nous*; elle *nous envahit*, ce qui constitue peut-être une violence de plus».[1]

Eléments grammaticaux permettant d'atteindre ce but :

- les précisions de temps et de lieu par rapport à l'acte de parole;
- les démonstratifs;
- le temps verbal (futur et passé proches, début ou fin de l'action).

L'utilisation opportune des pronoms personnels à la 1re personne (voir illustration du *nous* dans l'exemple ci-dessus) peut contribuer à rapprocher le propos du destinataire, soit en l'impliquant dans la démarche, soit en soulignant l'engagement du scripteur, à un moment-clé du texte.

> «Je façonne ma vie en me confrontant aux problèmes du monde actuel, je forge mon expérience, mes idées, mes opinions grâce au milieu qui m'entoure. Je me brûle souvent les doigts, mais ce n'est que pour mieux repartir. Le chemin que je trace et que je suis ne serait pas le mien sans l'aide des œuvres littéraires et cinématographiques dans lesquelles je puise».[2]
>
> – Le pronom personnel de la 1re personne du singulier est utilisé au moment de donner un avis (le sujet le demandait).
>
> – L'échelle des valeurs se précise : ce qui intéresse l'auteur du

---

1. Extrait d'un texte d'étudiant.
2. *Bonnes Copies de bac*, tome 1, p. 87. (Biblio. 34). L'intérêt que vous prenez aux œuvres littéraires et cinématographiques se limite-t-il à la découverte des personnages qu'elles mettent en scène ? (Sujet 29).

texte, c'est de façonner sa vie en se confrontant à ce qui l'entoure et notamment aux œuvres littéraires et cinématographiques; l'engagement du scripteur dans son discours, c'est aussi une façon de susciter l'adhésion du lecteur.

Enfin, la présence du rédacteur se manifestera par l'éclairage personnel qu'il donnera à la problématique proposée, par la manière dont il trouvera les mots pour construire son objet. Nous nous situons ici à la frontière entre la pensée et l'écriture : les deux notions ne sont pas totalement séparables puisque la pensée a besoin des mots pour exister face à un interlocuteur. Écrire une dissertation, c'est aussi donner un éclairage particulier à une problématique plus ou moins générale, c'est en parler du point de vue d'un individu concret qui intègre à cet acte de parole son histoire intellectuelle, culturelle et morale (au sens large). Ne gommez donc pas les mots qui disent ce point de vue et caractérisent la réalité abordée; des préférences, des différences, une échelle de valeurs se dégageront ainsi progressivement du paysage textuel : elles sont un facteur important de l'échange langagier.

« Comment ne pas vouloir entrer dans l'écran, forcer les portes d'accès à ce monde merveilleux ? Comment ne pas vouloir se mêler à ces gens qui devinent, les yeux fermés, que l'adoucissant était DÉJÀ dans la poudre ? Comment ne pas désirer être soi-même beau, jeune, mince, joyeux et heureux ? Comment ne pas désirer cette prodigieuse insouciance devant un linge taché de myrtilles et de chocolat ?

Et c'est justement là qu'est la violence : on nous fait désirer nous mêler à un monde fictif qui n'existe que sur les écrans publicitaires ».[1]

– L'univers de la publicité est qualifié, décrit, du point de vue du spectateur (= de celui qui écrit), et en même temps, il est, en fin de parcours, opposé au monde réel. L'opposition et la gradation sont aussi des moyens qui permettent de faire se dégager une échelle de valeurs, de mettre un point de vue en perspective.

B. Le destinataire

Plusieurs des exemples mentionnés dans le point précédent interpellent ou impliquent le lecteur et favorisent ainsi la rencontre des interlocuteurs : c'est le but visé par le texte efficace.

---

1. Extrait d'un texte d'étudiant sur la publicité (sujet 26).

Les moyens utilisés :

- le pronom personnel à la 1re personne du pluriel;
- les tournures interrogatives utilisées à bon escient; sur ce plan, les questions oratoires et les questions en chaîne qui annoncent les parties du développement ne sont pas les plus efficaces;
- la mise en valeur des points qui peuvent susciter l'accord.

L'interlocuteur n'est ni un adversaire à réduire ou à agresser, ni une personne à éduquer, donc :

- la polémique, les tournures négatives (qui visent à combattre une position supposée du lecteur),
- les injonctions (il faut, on doit),

ne favorisent pas une bonne réception du message.

De manière générale, l'auteur d'un texte qui propose une réflexion argumentée a tout intérêt à marquer sa présence dans son texte en le rendant vivant et dynamique, en signalant les lieux de son engagement et en utilisant les moyens langagiers aptes à valoriser sa vision et à donner au texte une tonalité personnelle. Il gagnera également l'intérêt du lecteur en le prenant en compte à tous les niveaux de la réalisation : choix des termes susceptibles d'interpeller, division en paragraphes et balisage du parcours par des annonces, prise en compte des connaissances et opinions supposées du destinataire (pour ne pas le heurter de front), implication de celui-ci dans le propos, etc. Enfin, l'organisation et la progression du propos seront polarisées par le point de vue que le scripteur souhaite mettre en évidence ou par sa réponse à la question posée.

E
Présentation

La présentation est la dernière étape du travail; c'est pourtant elle qui va donner la première impression, favoriser ou non le contact avec le texte. Elle sera donc aussi soignée que possible.

- L'écriture ne pourra, en aucun cas, constituer un obstacle au déchiffrement du texte : si c'était le cas, l'attention ne pourrait se porter sur le message. Autant que possible, les travaux seront dactylographiés.

- Des blancs seront ménagés :
  - à la verticale : les marges. A la gauche du texte, un espace suffisant sera réservé aux éventuelles annotations du lecteur/correcteur.
  - à l'horizontale : ne pas craindre de laisser un espace blanc entre les parties du texte et même, s'ils sont relativement longs, entre les paragraphes.

  Les espaces blancs allègent la composition et permettent le repos des yeux.

- On ne met pas de titres aux parties ou aux paragraphes, on évite les 1°, 2° et les abréviations.

- Les chiffres arabes ne seront utilisés que dans des cas particuliers : pour indiquer les dates, les heures (sauf midi et minuit), les numéros de pages, d'immeubles, et aussi pour transcrire des nombres complexes (ex. : l'Afrique compte $582\ 000$ km^2). Pour le reste, les nombres seront écrits en toutes lettres.

- On souligne tout ce qui, dans le texte imprimé, serait écrit en italiques et particulièrement, les titres (d'œuvres, de revues) et les mots pris pour eux-mêmes.

- Les citations seront mises entre guillemets. On les reproduira avec une scrupuleuse exactitude (ponctuation et fautes éventuelles comprises) et on en donnera la source.

ANNEXE 1

Liste des principaux connecteurs et organisateurs textuels[1]

- Pour marquer l'identité, l'équivalence
  - de même – c'est-à-dire – en d'autres termes – ce qui revient à dire – de la même façon (manière) – ainsi
- Pour signaler une amplification (un développement, une addition)
  - en outre – de même – de plus – d'ailleurs – par ailleurs – de surcroît – de la même manière (façon) – d'autre part – bien plus – or
  - et qui plus est – aussi – également : pas en début d'énoncé
- Pour exprimer la justification et/ou la causalité
  - car – en effet – de ce fait – à cause de – si... (alors)
  - attendu que – étant donné que – parce que – puisque – vu que – par le fait que – du fait que : plus indicatif

---

1. On trouvera dans cette liste des termes qui articulent des propositions (subordonnants et coordonnants) et d'autres qui articulent des énoncés ou des parties du discours (adverbes et locutions adverbiales, locutions prépositionnelles). On sera sensible aux nuances sémantiques et pragmatiques exprimées par les termes et locutions rangés dans une même rubrique (pour des exercices sur les connecteurs, voir G. Niquet, Biblio. 23 et 24).

- sous prétexte que (pour introduire une raison alléguée, mais donnée comme douteuse par celui qui la rapporte) : plus indicatif
- par le fait de – en raison de – du fait de – sous prétexte de (même nuance que ci-dessus) : plus substantif
- grâce à (pour présenter une cause dont l'effet est présenté comme positif)

- Pour exprimer le but
  - dans ce but – dans cette optique – dans cette perspective – pour cela – à cette fin
  - afin de – en vue de : plus infinitif
  - pour que : plus subjonctif

- Pour exprimer la conséquence ou l'implication logique
  - donc – de là – d'où – en conséquence – par conséquent – dès lors – c'est pourquoi – pour cette raison – ainsi – dans ces conditions – (si...) alors – corrélativement – compte tenu de ce fait – par là même
  - aussi : en début de proposition et avec inversion sujet /verbe

- Pour exprimer une opposition (signaler un mouvement argumentatif opposé)
  - mais – cependant – néanmoins – toutefois – pourtant – par contre – au contraire – en revanche – à l'inverse – contrairement à

- Pour marquer une restriction
  - du moins – au moins – tout au moins – encore – encore moins : lorsqu'elles signalent une restriction, toutes ces expressions demandent une inversion sujet/verbe
  - seulement

- Pour exprimer une condition
  - si – dans la mesure où – selon que – suivant que : plus indicatif
  - à moins que – pour peu que – pourvu que – à supposer que – pour autant que : plus subjonctif
  - à la condition que – moyennant que – au cas où – dans l'hypothèse où : plus indicatif ou subjonctif
  - soit que... soit que – suivant que... – selon que... : pour exprimer une condition sous forme d'alternative

- Pour signaler la concession
  - bien que – quoique – encore que – si... que – pour... que – quelque... que : plus subjonctif
  - en dépit du fait que – même si : plus indicatif
  - en dépit de – malgré : plus substantif
  - quoi qu'il en soit – en tout état de cause
- Pour exprimer une relation temporelle
  - d'abord – avant cela – antérieurement – plus tôt – au préalable – avant que (plus subjonctif)
  - maintenant – bientôt – d'ici là
  - alors – après – puis – par la suite – ensuite – plus tard – désormais – dorénavant – après que (plus indicatif)
- Pour exprimer la comparaison
  - comme – de la même façon (manière) – similairement – à l'instar de
  - de même que – ainsi que – au même degré que
  - autant... autant – moins... moins – plus... plus
- Pour annoncer une conclusion
  - donc – pour conclure – en conclusion – en bref – en somme – en un mot – dès lors
  - finalement – de toute façon – au fond

ANNEXE 2

Exemple d'utilisation
du plan ternaire dialectique

SUJET : «Famille, je vous hais! ...» Approuvez-vous ce célèbre anathème qu'André Gide lança dans les *Nourritures terrestres* en 1897 ?

INTRODUCTION

Dans la civilisation européenne pétrie de romanité puis de christianisme, la famille a longtemps symbolisé la solidarité, la sécurité et l'amour. De la Sainte Famille de l'Évangile aux poèmes de Victor Hugo, elle est célébrée comme le lieu magique où cessent les conflits, la rudesse de la vie et les vices de la rue.	*Perspective générale*
Et André Gide ne pouvait donc que scandaliser quand, dans les *Nourritures terrestres*, publiées en 1897, il lança la célèbre formule : *Familles, je vous hais*, cri d'un homme en quête d'une liberté absolue pour qui le foyer est un univers égoïste et mort.	*Citation du jugement replacé dans son contexte*

Depuis cette date, la famille fut à l'origine de beaucoup de polémiques. Durement critiquée, vivement défendue, et rarement avec mesure, elle subsiste, malgré d'importantes transformations. Mais jusqu'à quand ?	*Sans suggérer le plan, ce qui paraîtrait assez artificiel, on indique des directions de recherche et on sollicite le lecteur par une interrogation.*

PLAN DÉVELOPPÉ

1. *Thèse : Les raisons de haïr la famille*

A. Précision initiale

Nous parlerons de la famille nucléaire actuelle (c'est-à-dire le père, la mère et les enfants).

B. La famille, c'est la dictature du père

a) Souvent seul à travailler à l'extérieur, il a la puissance économique et financière :

- en ville : le salaire ;
- à la campagne : il est chef d'entreprise.

b) Il descend du *pater familias* romain et veut être obéi de tous.
Exemple : conceptions de Maître Ramon (in *Mireille*, de F. Mistral).

c) Il cherche d'autant plus à s'imposer dans la famille qu'il subit des frustrations à l'extérieur.

C. La famille, c'est l'aliénation de la femme

a) La femme au foyer

- En 1968 travaillent au dehors :
  - 51% des femmes de 20 à 24 ans,
  - 40% des femmes de 25 à 34 ans;
- Cf. la formule allemande : *Küche, Kinder, Kirche* (la cuisine, les enfants, l'église).
- Les tâches subalternes au service de tous.
- Rareté des loisirs.

b) Négation de ses droits à l'épanouissement sexuel et affectif
- Arriver vierge au mariage.
- Un seul partenaire.
- Un *choix* : maman ou ... putain.
- Sens de la Fête des Mères.

c) Elle doit apprendre l'obéissance aux enfants.

D. La famille, c'est l'aliénation des enfants

a) Les enfants doivent «prendre le pli»
- Obéir sans discuter.
- Respecter l'autorité et la hiérarchie.

b) Les enfants condamnés à la solitude, au désespoir, à la révolte...

Exemples : *Poil de carotte* (Jules Renard) et *Le Sagouin* (Fr. Mauriac).

c) Complexes, névroses des enfants
- Complexe d'Œdipe et désir de la mort du père.
- Cf. Dostoievski (*Les frères Karamazov*).
- Complexe de Caïn.

E. La famille, lieu clos et malsain pour tous

a) L'égoïsme collectif
- *Laver son linge en famille.*
- Tout pour la famille : esprit de clan.
- On ne prend pas de risques.

Exemple : choix du conjoint dans le même milieu social.

b) D'innombrables conflits
- Belle-mère/bru
- Femme/époux
- Jeunes/vieux, etc.

c) Famille et argent : la famille bourgeoise
- Amour sacrifié à l'argent.
- Les conflits et le cocufiage.
- Des esclaves du rang social.

Exemple : *Thérèse Desqueyroux* (Fr. Mauriac).

F. La famille sert tous les conservatismes

a) Le Père incarne tous les «pères» à venir
- Petits chefs de l'atelier.
- Tous les détenteurs d'autorité.
    Exemples sur le plan politique : du *Duce* au *Grand Timonier*.
- Dieu le Père

b) Exemple du pétainisme
- *Travail, famille, patrie.*
- Du père de famille au père de la nation.

c) Analyses célèbres
- Hegel.
- Marx et Engels : *Manifeste du parti communiste.*
- Reich et Cooper.

Conclusion de la thèse
- L'individu sacrifié.
- Ce sacrifice est de plus en plus tragique puisque nous vivons de plus en plus longtemps!

2. *Antithèse : Les raisons de défendre la famille*

A. L'harmonie conjugale, cela existe!

a) L'épanouissement sexuel et affectif a un nom : l'amour
- Nous en avons de nombreux exemples.
- Transformations, enrichissement de l'amour conjugal.

b) Une égalité possible
- Par le travail de la femme au-dehors.
- Par le partage des tâches ménagères.
- Par le partage des tâches éducatives.
- Grâce à la prise des décisions en commun.

B. La famille, réseau affectif

a) Un passé commun
- Souvenirs de famille et enracinement.
- Importance des souvenirs d'enfance pour la maturation affective.

b) Importance de la fête : naissances, anniversaires, retrouvailles, etc.

c) Exemples littéraires : la famille pour Lamartine, Hugo, Hector Malot.

d) On sait que le manque d'affection peut expliquer la délinquance juvénile.

C. La famille, milieu éducatif essentiel

a) Acquisition d'une langue et d'une culture (au sens anthropologique).

b) Sans les autres, donc sans famille, nous ne sommes rien (expériences des enfants sauvages).

c) La famille nous prépare à la vie sociale.

d) Nous avons besoin de nous identifier au père ou à la mère.

- Nécessité de l'*Œdipe*.
- Les pères socialement dévalués sont méprisés par leurs enfants qui ne savent plus à qui s'identifier.

e) Nécessité de l'autorité parentale : l'enfant doit apprendre

- Qu'il n'est pas seul.
- Qu'il faut partager des droits et des devoirs.
- Qu'il faut éduquer sa volonté pour devenir un homme libre.

> **N.B.**
> Encore faut-il que les parents sachent doser l'autorité pour éviter les conséquences signalées dans la thèse.

D. La famille est un refuge

a) Un noyau économique sûr : notion de *ménage*.

b) Une union pour la défense d'un patrimoine garant de nos libertés.

c) En marge d'un univers sans pitié

- On y connaît la solidarité.
- On s'y confie librement.

d) Si la famille est fondée sur le respect de ses individus, elle est une école de liberté.

E. La famille : une évolution incessante

Le modèle familial défendu ci-dessus est entériné par la législation actuelle. On peut citer :

a) 4 juin 1970 : loi sur l'autorité parentale.

b) 3 janvier 1972 : les enfants naturels ou adultérins deviennent héritiers.

c) Toutes les lois d'aide à la famille.

Conclusion de l'antithèse

– L'individu n'est sacrifié que dans les mauvaises familles.
– Il semble même qu'aujourd'hui les rapports entre parents et enfants soient meilleurs qu'hier.

3. *Synthèse : L'avenir de la famille*

A. La famille n'échappe pas à l'évolution

a) Elle a déjà beaucoup évolué.

b) Elle évoluera encore.

B. La crise de la famille

a) Au XIXe siècle, l'essor du capitalisme entraîne la destruction de la famille

– Journées de travail de 15 heures.
– Travail des femmes et des enfants.
– Aucune loi sociale.
– Ravages de l'alcoolisme, de la tuberculose.

b) Dans les sociétés industrielles actuelles, la famille se délite

– Dévaluation de l'image parentale : papa, maman n'ont aucune responsabilité sociale.
– Le cycle *métro, boulot, dodo.*
– L'audio-visuel envahissant.

c) Le progrès social risque de la rendre inutile

– L'école se charge très vite de l'éducation.
– Le *Temps des copains* est venu.
– Sécurité sociale, retraites, etc. la vident de certaines de ses anciennes fonctions.

C. Les solutions extrêmes

a) L'attrait du passé : renforcer la famille
- Nostalgie des vertus familiales et patriarcales.
- Célébration de la famille rurale.
- On oublie les réalités : pressions du groupe, dureté des conditions de vie.

b) L'union libre :
- Naquet : *L'union libre, c'est le refus de toute immixtion de la société dans l'association de l'homme et de la femme* (in *Vers l'union libre*).
- Un problème : qui éduquera les enfants ?
- Des réponses : l'état, la communauté (exemple des hippies).
- Le projet de Reich pour le Sexpol (Association allemande de Politique sexuelle prolétarienne).

c) Les marxistes sont désormais très réservés : en U.R.S.S., après les expériences d'union libre des débuts de la Révolution, le pouvoir officiel est revenu à une conception traditionnelle.

D. La famille est tenace

a) Ne pas se marier est ressenti cruellement
- D'ailleurs, on se marie de plus en plus tôt.
- Lu dans *Paris-Match* du 1er février 1975 : *Au moment où les Corréziens se lamentent de ne pas trouver d'épouses, en Bretagne des jeunes filles cherchent des maris.*

b) Réactivation de la famille en Chine (?)
- Certes la *commune populaire* semble vouloir effacer la famille. Pourtant, les familles nucléaires subsistent comme le montre le film de Joris Ivens : *Comment Yu-Kong déplaça les montagnes.*

c) Multitude d'expériences très ponctuelles chez nous.

Conclusion de la synthèse

Malgré des transformations importantes sur les plans économiques, social, juridique, la famille subsiste.

Extrait de *Didactique de l'expression* de B. Cocula et Cl. Peyroutet, Librairie Delagrave, 1989, pp. 178-182. (Biblio. 16).

REMARQUES

Ce plan, qui donnerait lieu à un texte rédigé fort long si l'on voulait expliciter suffisamment chaque point, fait appel à des éléments d'analyse historique, sociologique, psychologique ... pour tenter de comprendre la réalité concernée et les jugements extrêmes que l'on peut porter sur elle. On le voit, des connaissances étendues sont nécessaires pour élaborer une vision nuancée d'une réalité complexe. On ne peut les exiger des élèves ni même des étudiants; tout au moins les incitera-t-on à mener une démarche prudente et rigoureuse.

Le livre de B. Cocula et Cl. Peyroutet a paru en 1978; pour l'essentiel, la synthèse reste valable aujourd'hui, même si les remises en cause radicales des années 70 ont fait place à des idées et des comportements plus nuancés et mesurés. Les droits de l'enfant et ceux de la femme sont davantage pris en considération et on assiste, depuis quelque temps, à un retour à la famille et aux valeurs qu'elle représente. Elle apparaît, à l'heure actuelle, comme une sorte de refuge face aux aspects impitoyables de nos sociétés et comme le creuset où se forme la conscience.

La conclusion de la synthèse est par contre assez décevante par le constat minimal qu'elle propose. On peut comprendre que les auteurs n'aient pas voulu s'engager davantage, mais par rapport à la question posée dans le sujet, c'est insuffisant puisqu'il s'agissait de prendre position.

N.B. C'est le temps et les transformations qu'il suscite dans la société (principe du changement dialectique) qui, avec l'idée des contradiction internes à la réalité envisagée, constitue l'élément moteur de la synthèse.

ANNEXE 3

Dissertation commentée

TEXTE

«Un *personnage médiocre peut-il être un héros de roman ?*».

1 Un employeur, par divers entretiens ou tests, cherche à déterminer la valeur des postulants qui se présentent à lui. Seuls les meilleurs sont retenus : cela ne fait aucun doute. Pourtant, à la question «Un personnage médiocre peut-il être un héros de roman ?», on ne peut répondre aussi nettement. Tout d'abord, il convient de définir la notion de héros, puis on peut envisager les arguments positifs et négatifs.

2 Donc, une question primordiale se pose : qu'est-ce qu'un héros ? On peut remarquer d'ailleurs que dans un roman, il n'y a pas toujours un seul personnage principal. Par exemple, dans *À l'Ouest,* rien de nouveau, Remarque met en scène différents soldats. Leur destin poignant a lui-même valeur d'exemple : à travers eux, ce sont toutes les souffrances de l'armée allemande que nous découvrons. Il y a donc une multitude de héros.

3 Enfin, dans la plupart des cas, le héros conduit l'action d'un roman. Les personnages d'Alexandre Dumas, et en particulier d'Artagnan, la dirigent d'ailleurs de main de maître. Parfois le héros n'est que le jouet du destin. Mais ce sont tout de même ses aventures qu'on nous raconte. Dans *Le Désert des Tartares*, de Dino Buzzati, Drogo est enchaîné au fort, il ne peut le quitter. Ce fort est en fait son destin. Donc, même s'il n'y a pas d'action, il reste une histoire.

4 En même temps, nous devons accepter le devenir du héros. Le problème de la toute-puissance

du romancier se pose. «Cette histoire est vraie, puisque je l'ai inventée», disait Vian. Nous n'avons pas le droit de remettre en cause le destin des deux amoureux de *L'Ecume des jours*, même si nous ne concevons pas l'existence de l'amour impossible ou même de la maladie.

5   De plus, le héros est celui par qui l'auteur exprime ses idées ou même se met en scène. *La confession d'un enfant du siècle* est plus une biographie qu'un roman, mais le héros a valeur d'exemple ainsi que le rappelle Musset dans son premier chapitre : «J'écris ce livre pour tous ceux qui sont atteints de cette maladie mentale abominable». Donc, ici, nous avons à la fois la biographie et la somme des idées de l'auteur à travers un seul héros.

6   Le personnage principal est aussi celui qui provoque nos réactions. Même un public peu cultivé ne se trompe pas. «Vivre le mélodrame où Margot a pleuré». Ces lecteurs ont bien vibré avec les aventures par feuilleton de Rocambole, pas avec le dernier personnage du livre.

7   Enfin, il était jadis difficile de faire une différence entre épopée et roman. Comment classer le *Roman de la Table Ronde ?* En revanche, il faudrait détruire cette idée reçue qui consiste à croire que le héros est une sorte de surhomme qui accomplit des missions exceptionnelles. La littérature récente nous a prouvé qu'on pouvait faire un roman avec un «anti-héros». Cette prise de position correspond à la perte des idéaux d'honneur, de patriotisme,

bref des valeurs morales. C'est là que se greffe la question : «Un personnage médiocre peut-il être un héros de roman ?». Nous verrons nécessairement les deux thèses.

8   Tout d'abord, un personnage médiocre est quelqu'un qui nous paraît falot, sans consistance, ou alors dont les sentiments ne présentent aucun intérêt particulier, si ce n'est pour le romancier! Justement, il faut noter qu'un personnage marionnette résulte parfois d'un parti pris de l'auteur. *Candide* nous le prouve. Seules les idées philosophiques intéressaient véritablement Voltaire. Nous allons voir dans quelles mesures un personnage médiocre peut effectivement être un héros de roman.

9   Une personnalité médiocre n'est pas forcément une personnalité dénuée de richesses. A mon avis, la faiblesse et le vice caractérisent une personne intéressante. Gervaise et Coupeau dans *L'Assommoir* ont une valeur d'exemple, ou plutôt de contre-exemple. Une telle déchéance peut rééduquer un alcoolique et, de toute façon, dégoûte ceux qui auraient envie de s'adonner à ce vice. Il en va de même pour les combustions spontanées, celle du «Docteur Pascal» par exemple, décrites par Zola et analysées avec précision par Bachelard dans *La Psychanalyse du feu*. Donc, montrer les méfaits d'un vice, c'est en quelque sorte éduquer. Bien sûr, on pourrait objecter qu'une telle déchéance n'est pas le fait de personnages médiocres. En effet, il faut une nature peu ordinaire pour descendre à de tels excès. Mais au lieu de

prendre «médiocre» dans le sens de moyen, je le prendrai dans le sens qui s'oppose à la grandeur d'une âme.

10   Si le héros médiocre a valeur d'enseignement contre le vice et la faiblesse, il en va de même pour les dangers de la vie. Le chevalier des Grieux de *Manon Lescaut* nous apprend à nous méfier des gens sans scrupule que nous pouvons rencontrer et à nous garder de trop de bonté ou de naïveté.

11   Enfin, pour résumer ces deux paragraphes, je citerai Molière en écrivant : «La sottise d'un valet, l'étourderie d'un page me sont aussi profitables». C'était là également l'opinion de Montesquieu dans ses *Cahiers*.

12   Dans un autre domaine, je dirai qu'un personnage médiocre étant plus accessible, plus proche de nous, il ne nous sera pas indifférent. Par exemple, *La Princesse de Clèves* décrit des amours courtoises qui ne sont plus les nôtres et l'héroïne a une grandeur d'âme suffisante pour fuir le monde plutôt que d'être coupable d'adultère : oui, il se dégage de ce livre une certaine froideur qui nous laisse étrangers aux malheurs de Mme de Clèves. Non seulement un personnage médiocre ne nous sera pas indifférent, mais en plus, il pourra davantage nous faire rire. C'est le cas de ce roman de science-fiction comique, *Martiens, go home*. On ne peut pas dire que le personnage principal soit analysé par Frédéric Brown comme l'aurait fait un Balzac. Pourtant, ce livre laisse une impression d'humour et d'optimisme très agréable.

13   Enfin, un personnage médiocre est peut-être moins dangereux pour le lecteur qu'un héros au sens noble du terme. Le prince André Volkonski de *Guerre et Paix* apporte certes au lecteur ivresse, toute-puissance, beauté, mais qui voudra vivre sa vie comme lui risque d'être amèrement déçu.

14   Un personnage médiocre peut apporter au lecteur des éléments positifs, nous venons de le voir. Donc, nous pouvons dire qu'un personnage médiocre peut être un héros de roman puisqu'il a de fortes chances de satisfaire un lecteur exigeant.

15   Mais un héros admirable par sa grandeur d'âme, son originalité, n'est-il pas préférable ?

16   Le personnage médiocre ne nous met pas en contact avec une morale très stricte. Si une bonne et saine réaction, face au mensonge et même au sadisme, par exemple celui de Pierre Costals dans *les Jeunes Filles*, ne se fait pas, alors le personnage médiocre, méprisable, est un danger pour le lecteur. En revanche, il ne subsiste aucun doute après la lecture de *La Peste* de Camus. L'abnégation de Rieux est un exemple pour nous.

17   Un personnage de valeur nous éduquera aussi sur un plan esthétique. L'humanisme de Jérôme Coignard dans *La Rôtisserie de la Reine Pédauque* d'Anatole France nous donne une vue très intéressante de l'art, de la création, de la culture.

18   Les personnages médiocres ou flous n'ont-ils pas un intérêt limité aux connaisseurs ? *Le Châ-*

teau de Kafka est un livre passionnant. Mais l'imprécision concernant K. est bien déroutante, surtout au début. On se demande quelles sont les motivations de cet arpenteur, venu d'où, on ne le sait pas. *L'ensorcelée* de Barbey d'Aurevilly au contraire risque de satisfaire un plus grand public. La figure à la fois de marbre et de sang de l'abbé de La Croix Jugan nous saisit. Or le but du roman n'est-il pas d'émouvoir ? Cet exemple tendrait à démontrer qu'un personnage noble est davantage un héros de roman qu'un personnage médiocre.

19   Justement, le roman est, pour certains, un moyen de se réaliser, de s'offrir, l'espace de quelques pages, ce que la vie leur a refusé. Qui n'a pas regretté de n'être point un médecin de la générosité d'Antoine Thibault, ou de ne pas avoir réalisé un acte aussi éclatant que celui de Jacques Thibault ?

20   Enfin, nous l'avons vu, le héros représente souvent l'auteur. Or, on remarque souvent que les auteurs médiocres ne créent que des personnages médiocres. Guy des Cars sacrifie à un traditionalisme exaspérant, jamais, on ne retrouvera dans ses livres un héros de la trempe de Tchen, le révolutionnaire chinois de *La Condition humaine* d'André Malraux.

21   Il semble donc bien que les personnages médiocres ne soient pas les héros rêvés d'un bon roman.

22   Une simple question en déclenche souvent bien d'autres. Ainsi «*Un personnage médiocre peut-il être un héros de roman ?*» aboutit à se demander ce qu'est un héros, quels sont les éléments qui nous satisfont dans un roman, et enfin met en cause la qualité même des romans. Tout dépend de l'auteur. Mais les grands romans, ceux qui ont marqué l'histoire littéraire, sont souvent associés à un personnage hors du commun. Ainsi, que seraient *Les Misérables* s'ils n'étaient pas dominés par ce géant, Jean Valjean, résumé des passions humaines, mais aussi possédant une âme tellement plus belle que la nôtre ?

23   Ce problème du personnage médiocre ne se pose pas que dans le roman. Des héros exceptionnels comme Néron et Agrippine dans *Britannicus* de Racine ou Lorenzaccio sont des jalons pour le théâtre. Seule la peinture peut-être échappe à cette loi, mais là, ce n'est pas tellement le sujet qui importe, mais l'art du peintre.

Académies de Créteil-Paris-Versailles, 1978.

Extrait de : *Bonnes Copies de bac.* Tome 2. Paris, Hatier, 1980, pp. 68-73. (Biblio. 41).

COMMENTAIRE

Remarques préliminaires

La dissertation présentée ici ne l'est pas à titre de modèle; elle a été choisie en vue de faire une série de remarques sur la manière de traiter le sujet, sur la structure, le style, etc.

C'est une «copie de bac», c'est-à-dire une dissertation écrite dans le cadre d'un examen. A ce niveau, elle a été jugée excellente. À un étudiant de lettres, cependant, la réflexion semblera peu littéraire même si la connaissance des oeuvres est vaste et précise.

I. STRUCTURE DU TEXTE

1. *Introduction - Premier alinéa*

Trois phases

1. Référence à une situation de la vie courante que la question posée peut évoquer

2. Différence entre vie pratique et littérature, énoncé du problème

3. Annonce (assez lourde) du plan

2. *Développement - Alinéas 2 à 21*

Trois parties

1. Qu'est-ce qu'un héros ? Alinéas 2 à 7
   - unique ou non;
   - maître de son destin ou non;
   - il s'impose à nous;
   - porte-parole de l'auteur;
   - il suscite nos réactions;
   - il peut devenir un anti-héros.

2. Aborde la question proprement dite. Alinéas 8 à 14
   - alinéa 8 : introduction à cette partie avec une première définition de la notion.

- alinéas 9 à 13 : le personnage médiocre peut être un héros de roman

- il n'est pas dénué de richesses ;
- il peut avoir valeur éducative ;
- il est peut-être moins dangereux qu'un héros noble.

- alinéa 14 : conclusion de cette partie : le héros médiocre peut satisfaire un lecteur exigeant (1 alinéa + 5 + 1)

3. Envisage le point de vue opposé. Alinéas 15 à 21

1 question détachée annonce la suite ;

5 alinéas développent le point de vue ;

1 phrase détachée conclut.

- absence de morale stricte chez le héros médiocre ;
- un personnage de valeur nous éduque sur le plan esthétique ;
- les personnages médiocres sont parfois déroutants ;
- le personnage admirable nous offre la possibilité de nous transcender ;
- les personnages médiocres sont souvent le fait d'auteurs médiocres.

3. *Conclusion – Alinéas 22 et 23*

En deux temps

Alinéa 22 : conclusion du propos, mise en évidence de l'opinion avancée.
Le texte aurait pu s'arrêter là.

Alinéa 23 : élargissement aux autres genres, aux arts plastiques.

II. REMARQUES CONCERNANT LA STRUCTURE DU TEXTE

Introduction et conclusion sont construites conformément aux normes en vigueur pour ces parties. Une réponse nette se dégage de l'ensemble.

Le développement est construit en trois parties

Première partie

- Elle constitue une sorte de réflexion préliminaire sur la notion de héros (sa fonction, sa nature, ses variantes). Elle procède par énumération (accumulation). Ce type de succession conduit vite à la monotonie, surtout si les aspects envisagés ne sont pas vraiment reliés entre eux. C'est le cas ici : les mots-liens sont soit élémentaires (*aussi, de plus, enfin*), soit mal appropriés (début du 3e alinéa : *enfin*); la forme est celle du constat illustré.

  Cette partie constitue une sorte de tremplin pour la suite du texte en montrant que le héros occupe une place essentielle dans le roman et qu'il n'est pas réductible à un seul type de personnage.
- La deuxième et la troisième partie proposent l'essentiel de la réflexion sur le sujet. Elles sont organisées selon le schéma pour/contre et débouchent sur une prise de position en faveur du héros admirable. Ce plan classique et assez prévisible est souvent efficace.

Deuxième partie

- Elle est amenée, dès le milieu du 7e alinéa; la transition est ainsi bien ménagée.
- Le 8e alinéa constitue une sorte d'introduction à cette 2e partie qui est elle-même divisée en deux moments :
  - les alinéas 9 à 11 développent l'idée selon laquelle le personnage médiocre est intéressant, le 3e alinéa synthétisant le propos;
  - les alinéas 12 à 14 insistent davantage sur le rapport au lecteur; là aussi, le 3e alinéa a une fonction de synthèse (pour toute la partie).
- Cette deuxième partie est fort construite, très équilibrée et bien rythmée (division en paragraphes, synthèses partielles).

Troisième partie

- Elle comprend 5 alinéas fortement organisés autour de deux idées directrices dont on retrouve des traces dans chaque paragraphe :
  - le personnage admirable éduque,
  - il répond mieux aux attentes du lecteur et pourra mieux l'émouvoir.

Conclusion

La structure de ce texte est fort équilibrée; les trois parties sont de longueur comparable. En somme, peu de remarques critiques peuvent être faites à propos de l'organisation. Notons encore la précision de la division en paragraphes et l'importance des annonces et des conclusions partielles pour la clarté de l'ensemble.

Pour être complète, nous émettrons deux réserves concernant des points particuliers de la construction des paragraphes et, plus particulièrement, la progression à l'intérieur de ceux-ci et une troisième à propos d'un point de la progression d'ensemble du texte.

1. §2. Entre le premier et le second énoncé, on constate une rupture dans la continuité : une question a été posée et il n'y est pas répondu; au contraire, le second énoncé, introduit par la proposition : «On peut remarquer d'ailleurs que [...]», semble immédiatement mettre la pertinence de la question en cause : sur le plan strictement textuel, ce n'est pas très heureux.

2. §3. Le troisième énoncé – «Parfois le héros [...]» – introduit une restriction qui sera développée jusqu'à la fin; elle aurait dû être marquée explicitement (par *cependant*, par exemple) pour que le mouvement argumentatif du paragraphe apparaisse bien.

3. §7. Les deux premiers énoncés ne permettent pas de percevoir d'emblée la progression du propos par rapport au paragraphe précédent. Apparemment, il y a changement de thème sans articulation : il n'est plus question du héros, mais de la difficulté qu'il y avait jadis à faire la différence entre épopée et roman. En outre, le troisième énoncé, qui annonce une opposition (il commence par «En revanche»), ne se situe pas non plus dans la continuité de ce qui précède immédiatement : il enchaîne sur la nécessité de détruire une idée reçue qui semble n'entretenir aucun rapport avec ce qui vient d'être énoncé. Pour percevoir la progression et la continuité, le lecteur doit rétablir une proposition implicite, à savoir : «Jadis, dans l'épopée comme dans le roman, le héros ressemblait à un surhomme».

III. LE PROPOS (OU MANIÈRE DE TRAITER LE SUJET)

1. *Sa grande qualité*

Chaque idée est étroitement liée à un fait au moins. Les faits (références à des oeuvres) sont décrits avec précision par rapport au point concerné. On ne trouve guère de généralisations rapides ou abusives. S'en dégage l'impression d'un discours prudent ayant prise sur la réalité concernée.

Le second type d'argument utilisé est l'analyse de la notion (celle de héros) en ses différents aspects, ceux-ci sont déduits de l'observation d'oeuvres diverses. L'approche est concrète et précise ; la notion n'est pas simplifiée. De la même manière, le personnage médiocre est défini de façon intéressante (alinéas 8 et 9). Beaucoup de traits différents sont envisagés.

2. *Cette qualité a pourtant un revers*

Dans ce texte, l'abondance des aspects conduit à un relatif émiettement, et l'absence de perspective strictement littéraire produit au moins une amorce de contradiction (d'une part, le personnage médiocre est plus accessible, plus proche de nous et d'autre part, il n'a qu'un intérêt limité aux connaisseurs) et quelques idées floues.

3. *Perspective d'ensemble*

La démarche est descriptive et analytique. En ce qui concerne le point de vue adopté sur la réalité concernée et les valeurs qui sous-tendent le jugement, une perspective générale cohérente se dégage : elle se situe dans le droit fil du terme *médiocre* et de la connotation morale qu'il véhicule. Le roman est ainsi envisagé du point de vue de sa réception auprès d'un public assez large (pas seulement de connaisseurs) en quête de références positives. Cette conception rejoint une longue tradition qui privilégie le rôle social et éducatif de la littérature au détriment de sa fonction de connaissance et de recherche esthétique. Elle a sa pertinence et est particulièrement compréhensible de la part d'un être jeune qui élabore sa propre vision du monde et cherche des modèles. Elle néglige cependant tout à fait les critères plus spécifiquement littéraires.

IV. LE STYLE

Fort soucieux des enchaînements, de la cohérence et de la fluidité (abondance des mots-liens, des annonces ...), le style en vient à prendre une allure quelque peu scolaire.

Les formulations sont nettes (précision, adéquation du vocabulaire) et la syntaxe variée (alternance de phrases courtes et de phrases longues, d'assertions et d'interrogations, etc.)

En somme, le style est assez vivant et sans défaut important : il pourrait être travaillé dans le sens d'une plus grande concision (supprimer toutes les formules comme : «Tout d'abord, il convient de définir» (§ 1), «Une question primordiale se pose» (§ 2), «on peut remarquer» (*id.*), «Justement, il faut noter» (§ 8), etc.) et d'un meilleur choix des verbes.

A *noter* : la présence, en quelques endroits choisis (alinéas 9, 10, 11, 12) de la 1re personne (du singulier et du pluriel), soit pour affirmer les positions personnelles, soit pour inclure le lecteur dans le propos.

ANNEXE 4

Dissertation qui se rapproche de l'essai et bref commentaire

SUJET : «Je crois fermement que le sport est le plus sûr moyen de produire une génération de crétins malfaisants». L. Bloy – Qu'en pensez-vous ?

TEXTE

(Ecrit par un étudiant de lettres)

Lorsque la vie de l'homme n'a plus été directement liée à des problèmes de subsistance, lorsqu'il a pu produire et contrôler les denrées alimentaires, il a cherché à atteindre une certaine qualité de vie. Bien avant notre ère, les Grecs sont sans doute les premiers à avoir vécu en équilibre dans une société où le travail, la création artistique et la détente sportive formaient une triade harmonieuse. Que reste-t-il encore de cet équilibre délicat dans notre vingtième siècle ? Dans une société appelée «des loisirs», le travail épanouit rarement l'individu, et les mentalités véhiculent des clichés péjoratifs à propos de la production artistique. Quant au sport, miné par l'argent et la convoitise, il est devenu le plus sûr moyen de libérer une agressivité refoulée. Combien de sportifs ont encore en tête cette phrase célèbre du baron Pierre de Coubertin : «L'essentiel n'est pas de gagner, mais de participer» ?

Nos mentalités sont imprégnées des principes économiques qui dirigent nos sociétés. Chacun cherche à se conquérir une place au soleil afin d'accroître ses biens matériels. Un leitmotiv revient sans cesse : gagner, et cela à n'importe quel prix. Notre monde est un monde de spécialistes, de professionnels. Le sport n'échappe pas à la règle. Il est devenu une machine à sous, un marché sans coeur où l'on exige tous les sacrifices. Ainsi, l'adolescent talentueux sera, dès son plus jeune âge, pris dans les mailles d'un filet qui risque de l'emprisonner. Il devra abandonner toute prétention intellectuelle pour subir un entraînement intensif et très sélectif. Les plus doués parviendront, si la chance croise leur chemin, à éviter les ennuis physiques, et à se hisser au firmament de la gloire sportive. Ils seront adulés, riches, et leurs paroles alimenteront les pages sportives, le plus souvent piètres commentaires de gens sans instruction, paroles banales de personnages anodins. À côté de cela, des artistes et des savants ne réussissent pas à réunir les fonds nécessaires pour imprimer un travail ou créer une nouvelle revue. D'autre part, ceux qui ont tout sacrifié sans connaître la réussite n'ont plus qu'à entamer une existence sans bagage intellectuel et sans qualification. Il ne leur restera plus qu'à se rendre le samedi soir dans la cuvette d'un stade surchauffé, et de vibrer avec une foule en délire aux effets de jambes de quelques athlètes divinisés.

Si le sport de haut niveau peut malheureusement produire des gens sans grande instruction, il draine aussi derrière lui sa nuée de «supporters». Ce sont eux qui le font vivre, qui lui procurent ses principales rentrées financières. Ils ne pratiquent pas le sport, ils le vivent pour leur équipe à laquelle ils sont dévoués corps et âme. Leur sport favori les entraîne dans *la* sortie du week-end. Pour beaucoup, c'est le seul moyen d'oublier, durant deux heures, la grisaille de la ville, les soucis de l'usine, les factures à payer. Le stade est leur lieu d'évasion, leur moment de rêve, instants magiques qu'ils ne soupçonnent pas exister *ailleurs*. Mais c'est aussi l'endroit des cris injurieux, du défoulement, où, abreuvés de haine et de bière, certains en arrivent à tomber dans les pires excès. Les victimes du Heysel, de Sheffield, d'Amsterdam hantent encore nos mémoires comme autant de reproches. Ils sont les enfants des pauvres villes qui ne savent offrir à leurs habitants qu'une arène où s'affrontent des gladiateurs sur l'herbe tendre.

Le sport et ceux qui le nourrissent peuvent parfois entraîner les drames les plus absurdes. Il faut cependant éviter les schématisations abusives. Le sport est aussi un merveilleux moyen de détente, de délassement. Face aux agressions qui nous guettent chaque jour, il apparaît comme une planche de salut, un instant béni, une bouffée d'air pur pour échapper au quotidien. Il s'offre pour beaucoup comme le meilleur moyen de préserver leur santé et de se sentir mieux dans leur corps. «Un esprit sain dans un corps sain», l'idée était en effet séduisante. La vie en équipe permet de créer des liens et de vivre des moments intenses. Unis dans l'effort, beaucoup se débarrassent de la timidité, des complexes qui les rongent. Les beaux gestes poussés à la perfection, qu'ils soient ceux du danseur ou du footballeur, ne peuvent qu'émouvoir. Le sport comme moyen d'entente, comme une main tendue vers l'autre : si tout cela pouvait dépasser le rêve ...

Le sport, poussé dans ses retranchements commerciaux et exacerbant la lutte pour le palmarès, engendre des gens de peu de savoir et de peu de scrupules. Il est, pour la masse des gens sans instruction, le seul moyen d'évasion et d'enthousiasme collectif. Il est une absurdité lorsqu'on évalue la valeur d'un homme à des millions, et qu'on laisse mourir son voisin sur le trottoir. Mais le sport est aussi une porte sur l'avenir pour celui qui, rongé par la maladie, a réussi à surmonter ses maux. Il signifie aussi l'entente, les responsabilités que chacun développe par sa pratique. Le sport doit être regardé de loin, non pas comme un but, mais comme un moyen parmi tant d'autres de se construire un équilibre personnel.

COMMENTAIRE

Ce texte est *construit* avec précision : la division en paragraphes met bien la structure en évidence. Le plan adopté est le plan par opposition.

§ 1 Introduction : présente le problème et lui donne une dimension à la fois historique et sociologique.

§ 2 et 3 : Explication du sujet ou condamnation du sport, qui s'applique au sport professionnel. Celui-ci est mis en rapport avec la mentalité générale de nos sociétés occidentales où il est impératif de gagner. Les idées d'incurie intellectuelle et de nocivité présentes dans le sujet sont mises en évidence.

Ce sont des tendances générales, des pratiques ou des situations connues de tous et élevées au rang de faits de société, voire de clichés (l'ouvrier accablé par les soucis et les factures; le match du samedi soir; les supporters en délire) qui sont exploitées pour développer le commentaire.

On trouve en effet une seule référence, assez allusive d'ailleurs, à des faits précis (Heysel ...).

§ 4 Défense du sport amateur présenté comme un précieux dérivatif et un facteur d'équilibre. Ce plaidoyer se fonde sur la définition même du mot *sport* et se présente en quelque sorte comme un retour à l'essentiel.

§ 5 Conclusion vibrante en deux mouvements (comme le développement) : elle reprend d'abord avec force la condamnation du mercantilisme et de l'aveuglement du monde sportif professionnel; elle insiste ensuite sur l'apport humain du sport pratiqué avec mesure.

De manière générale, on peut déjà avancer que ce texte possède une série de qualités : il traite exactement le sujet, situe le point de vue qui y est énoncé et même le complète. D'autre part, le problème est mis en rapport avec des phénomènes plus généraux. Les parties du texte sont bien délimitées et construites avec précision.

Le style quant à lui, vaut la peine d'être observé : tout à fait correct, lié, il est en outre fort persuasif dans la mesure où :

- il affirme beaucoup et sans hésitation, sans modalisation (voir tout le § 2 notamment);
- les affirmations s'enchaînent pour former un raisonnement qui semble aller de soi;
- il contient beaucoup de jugements, d'évaluations qui manifestent la présence (importante) du scripteur dans son texte et visent à entraîner l'adhésion;
- il recourt à la suggestion : images (voir fin du § 2), mots évocateurs (magie, rêve ...), concrets (factures, bière ...).

Pour toutes ces raisons et parce qu'en somme, tout en ayant traité correctement le sujet, l'auteur de ce texte a mis d'emblée son développement au service d'idées générales, voire d'une cause d'ordre éthique (défense de la gratuité, de la responsabilité) – au lieu de rassembler patiemment des faits, de les analyser avec précision ...–, cet exposé se rapproche davantage de l'essai.[1]

---

1. On trouvera dans *Du plan à la dissertation* (Biblio. 33), pp. 132-141, un corrigé sur ce sujet (texte et commentaire).

ANNEXE 5

Dissertation
sur un sujet de type philosophique
et commentaire[1]

SUJET : «On ne possède rien, jamais
 Qu'un peu de temps»

E. GUILLEVIC (*Exécutoire*) – Expliquez et commentez

---

1. Le sujet dont il est question se caractérise par une mise en cause de la *doxa* (du discours commun) sur la question de la possession et sur celle du temps : alors que nous estimons posséder toutes sortes de biens, matériels ou non, nous nous plaignons sans cesse de n'avoir pas de prise sur le temps et de lui être soumis. Or, Guillevic affirme que la seule possession qui existe jamais est, pour chacun, celle d'une petite portion de temps. Il thématise ainsi la question de la précarité, de la nudité de la condition de l'homme soumis au temps, mais qui a néanmoins une prise sur son propre temps. L'énoncé renvoie à un fonds d'évidences connues de chacun, mais il provoque parce qu'il rappelle une vérité angoissante et conteste des habitudes langagières.

Le texte présenté ici a été écrit en situation d'examen. Il n'a pas été choisi pour la qualité philosophique de sa réflexion, mais pour la maîtrise argumentative et textuelle dont il fait preuve tout en traitant correctement le sujet.

TEXTE

(Ecrit par un étudiant de lettres)

(1)   Les responsables d'oeuvres caritatives en mal de vendeurs ou de collecteurs bénévoles nous l'ont tant et tant répété que c'en est devenu un lieu commun, pire une fatalité à laquelle on se résigne : «Il est plus facile de donner de l'argent que de donner un peu de son temps». Voilà qui ruine donc la belle équation de nos *yuppies* essoufflés par leur course contre la montre. Non, le temps ce n'est pas de l'argent mais bien *plus* que de l'argent. Ce rapprochement de l'argent et du temps, à la réflexion, prête même à sourire car avec le temps, nous avons affaire à une composante sans prix – tant elle est fondamentale – de la vie. En venant au monde nous ne pouvons prétendre à rien sinon au temps – même si nous ne savons pas pour combien de temps...

(2)   Nous ne possédons rien de manière sûre. Chaque jour nous expérimentons notre soumission aux aléas de l'existence. Combien de fortunes, combien de carrières ruinées par une catastrophe naturelle ou par une évolution de la société – pensons aux mines du Borinage ou à l'industrie textile verviétoise – ou par tout autre événement échappant à la prévoyance des plus prudents ? Si nul n'a jamais pu garantir ses biens matériels contre les mauvais coups du sort, nous ne pouvons hélas pas nous targuer d'une meilleure maîtrise sur le plan sentimental. La mort rôde qui peut nous arracher brutalement l'amour de l'être aimé et, le hasard des rencontres, les concours de circonstances imprévisibles impriment des fluctuations, même aux coeurs les plus sincères. Seuls les inconscients osent considérer l'amour, l'amitié, l'estime, l'admiration qu'on leur témoigne ou qu'ils portent eux-mêmes à quelqu'un comme acquis une fois pour toutes.

(3)   Bref, la sagesse nous recommande de ne jurer de rien – ni de nos biens, ni de nos propres sentiments – sinon du temps qui s'offre à nous. Mais ici encore une restriction s'impose. Si personne ne peut nous ravir notre temps, ne perdons pas de vue que nous ne disposons jamais que du moment *présent*, pauvres morts en sursis. La Bible d'ailleurs avertit les amants présomptueux qui comptent sur un autre matin – pourtant incertain – pour se réconcilier : «Que le soleil ne se couche pas sur votre colère». Est-ce à dire que toute la valeur du temps, du moment provient de ce qu'il est unique et toujours menacé de ne se point prolonger ? Certes non puisqu'il partage ce caractère transitoire avec tous les éléments avancés plus haut.

(4)   Le moment présent me paraît plus précieux que tout parce qu'il appartient à chaque individu de gérer *son* temps comme il l'entend. Dans le moment réside une dimension de liberté individuelle renouvelée à chaque seconde de la vie. Même l'esclave est maître de son temps : à chaque instant, aussi longtemps qu'il vivra, il a la possibilité de «choisir» entre l'obéissance et la punition. Pauvre choix certes, mais cette décision lui revient à lui seul. Heureusement les situations courantes nous placent devant des alternatives plus réjouissantes. Je constate néanmoins dans notre société occidentale une tendance à engager le moment présent dans l'option la plus contraignante : travailler tant que l'on peut et remettre toujours à plus tard le moment de se reposer et de profiter de la vie. Écoutons plutôt cet Arabe interrogé par un touriste intrigué par sa nonchalance :

- «Pourquoi ne cherches-tu pas du travail ?»
- «Pourquoi ?»
- «Pour gagner de l'argent.»
- «Pourquoi ?»
- «Pour avoir un toit où te reposer quand tu seras vieux»
- «A quoi bon ? Alors, je préfère continuer à me reposer maintenant à l'ombre de cet arbre.»

COMMENTAIRE

Sur le plan argumentatif, ce texte révèle une grande assurance du scripteur qui ne craint pas d'affirmer, d'évaluer, de se situer clairement. Dès l'introduction, il prend parti et s'engage en avalisant la thèse antérieure qui se verra étayée et prolongée par la suite. De la même manière, dans tout le développement, les éléments avancés servent à appuyer une conclusion très nette et précise. À aucun moment une hésitation n'est permise sur la portée ou la fonction d'un énoncé, ce qui donne une impression de grande cohérence.

Les arguments et les modes de validation sont diversifiés. La structure est délimitée avec rigueur et chaque moment forme un tout bien construit et cohésif. La progression thématique est bien assurée grâce, principalement, à un réseau dense de termes anaphoriques variés. Ces points vont être quelque peu détaillés.

Analyse des différents paragraphes

L'introduction affirme la primauté du temps sur toute autre composante de la vie. Cette primauté est posée par le scripteur, en son nom, à la fin du paragraphe.

- Avant cela, il a fait dialoguer des voix différentes (polyphonie argumentative) : celle des responsables d'oeuvres caritatives et celle des yuppies qui, toutes deux, à leur manière, mettent le temps en relation avec l'argent.

- Le scripteur met cette relation en cause en déclarant que le temps est sans prix et donc sans relation avec l'argent. Par ce biais, la façon dont le scripteur oriente son propos est déjà indiquée : l'accent n'est pas mis avant tout sur la possession, mais sur l'existence humaine.

- Sur le plan de la rédaction, notons l'utilisation, dans le premier énoncé de pronoms et de termes cataphoriques[1] : ce dont il est question (la déclaration des responsables d'oeuvres caritatives) est d'abord désigné par le biais des pronoms *l'* et *c'* et ensuite, par deux syntagmes nominaux destinés à caractériser la réalité (*un lieu commun, une fatalité*). Cette manière d'amener le propos sans le nommer immédiatement lance véritablement le texte vers l'avant.

- Dans le second énoncé, on trouve une anaphore sur implicite : «la belle équation de nos yuppies»; cette anaphore/cataphore pourra être interprétée avec certitude grâce à l'énoncé suivant dans lequel son référent est nommé sous une forme négative : «le temps ce n'est pas de l'argent».

- Le quatrième énoncé commence par une anaphore conceptuelle : «Ce rapprochement» qui renvoie à tout ce qui précède et prépare une synthèse évaluative.

Le développement

Profil général

- Le § 2 montre la précarité de la possession tant matérielle qu'affective.

---

1. Lorsqu'un pronom ou un syntagme nominal ne peut être interprété que par le recours à un autre segment qui vient *après* dans l'énoncé, on le désigne par le terme de *cataphore*; l'anaphore renvoie, elle, à la reprise d'un terme actualisé *précédemment* dans la chaîne discursive : ainsi, dans l'énoncé suivant, le pronom *l'* est cataphorique, il ne pourra être interprété qu'à partir du sujet de la proposition principale : «Quand je *l'*ai salué, Jean ne m'a pas reconnu».

- Les § 3 et 4 sont consacrés au temps : nous disposons du moment présent d'une part; celui-ci recèle une dimension de liberté sans cesse renouvelée d'autre part. Cette idée est suivie d'une restriction concernant la manière dont la société occidentale se situe par rapport au temps.

- Le § 4, assez long, clôt le texte qui ne contient donc pas de conclusion au sens strict. Par contre, ce paragraphe débouche sur un dialogue qui doit mettre en valeur la thèse du scripteur et qui actualise un conflit de représentations au sujet du temps et de son utilisation.

- Le dialogue est interculturel; par un biais apparemment léger et anecdotique, il ouvre à une mise en question qui concerne le lecteur et toute sa société. Cette façon originale de conclure nous paraît tout à fait intéressante.

Observations

§ 2.
- Mise en évidence de la précarité de la possession par un discours concret et proche de l'expérience, qui implique le lecteur («Chaque jour nous expérimentons»).

- Recours à des données qui appartiennent à l'histoire régionale récente ou aux connaissances partagées.

- Raisonnement basé sur le nombre («Combien de fortunes, combien de carrières [...]»), sur les faits et sur l'expérience.

- Participation du lecteur suscitée par le pronom personnel de la première personne, les verbes d'action et d'opinion et par les modalités d'énoncé (interrogation).

- En ce qui concerne la rédaction, tout le paragraphe est construit sur une série de reprises anaphoriques venant spécifier ce à quoi s'opposent les deux termes-clés du premier énoncé : *rien* (spécifié par les termes *fortunes, carrières, biens matériels, amour, amitié, estime, admiration*) et *de manière sûre* (repris par *aléas de l'existence, catastrophe naturelle, évolution de la société, mauvais coups du sort, hasard des rencontres, concours de circonstances imprévisibles*). Ce passage montre bien la maîtrise dont fait preuve cet étudiant sur le plan lexical et dans la gestion concret/abstrait.

§ 3.
- Commence par un connecteur conclusif introduisant une proposition de synthèse de ce qui précède; l'énoncé se termine par une proposition qui annonce le second grand

mouvement argumentatif du texte : nous ne pouvons être sûrs que du temps qui s'offre à nous.

- Présence de l'intertexte : implicite (*ne jurer de rien* : Musset) et explicite : citation de la Bible.

- La progression s'effectue par une sorte de dialogue du scripteur avec lui-même et avec d'autres voix qui lui servent d'appui : «[...] ne jurer de rien [...] sinon [...]». «Mais ici encore une restriction s'impose [...]». «La Bible d'ailleurs nous avertit [...]». «Est-ce à dire [...] ?» «Certes non puisqu'il [...]». Ce mode d'enchaînement crée une dynamique et met en relief la manière dont les arguments se répondent et s'appuient.

§ 4.   – Affirmation de la position du scripteur (première mention de la 1re personne du singulier), à savoir l'importance du moment présent par la dimension de liberté individuelle qu'il comporte.

- Formulation d'un jugement sur la manière dont cette liberté est gérée dans la société occidentale.

- Insertion du dialogue qui, par sa simplicité et sa logique, valorise un autre rapport au temps que celui qui a cours dans les sociétés occidentales.

En somme, ce texte vaut par l'exploitation de la citation initiale (à la fois fondée et engagée) et celle des discours ambiants, par les références sociales et culturelles, par l'implication du lecteur dans le propos et la place qui lui est constamment faite (à ses connaissances, son expérience, son jugement et même son imagination) dans les formulations. Sur le plan langagier, relevons encore l'utilisation assez large des ressources de la syntaxe (types de phrases et de propositions) et de la ponctuation (guillemets, points de suspensions, tirets); signalons un lexique fort diversifié : le registre des termes utilisés est large, il va des plus abstraits aux plus concrets et évocateurs : *les amants présomptueux qui comptent sur un autre matin* et même, aux termes marqués sociologiquement : les *yuppies*. Le dialogue qui clôture le texte est bien intégré à l'ensemble et la structure globale est progressive.

ANNEXE 6

Didactique du texte argumenté

La préparation d'une dissertation suppose acquis un savoir et un savoir-faire complexes sur le plan intellectuel ainsi qu'une compétence langagière affinée. L'inventaire qui suit signale une série de points qui peuvent faire l'objet d'un apprentissage spécifique. Il ne prétend pas être exhausif, mais propose des balises pour une préparation plus ou moins lointaine à la dissertation.

I. LA MAÎTRISE DE L'ÉCRIT DISCURSIF

a) *La notion de niveau de langue.* Implications sur les plans syntaxique, lexical et morphologique de l'utilisation du niveau médian ou soutenu.

– Pour la notion de niveau de langue, voir par ex. : B. Cocula et Cl. Peyroutet, *didactique de l'expression* (Biblio. 16), pp. 19-22.

– Pour différents types d'exercices : A. Arenilla-Béros, *Améliorez votre style* (Biblio. 11), pp. 21-30.

b) L'écrit discursif suppose en outre acquis les instruments langagiers permettant d'exprimer **les nuances de la pensée.**

– G. Niquet, dans ses ouvrages; *Ecrire avec logique et clarté* (Biblio. 23), pp. 38-53 et *Structurer sa pensée; structurer sa phrase* (Biblio. 24), pp. 211-238, propose de nombreux exercices concernant l'expression de la cause, de la consé-quence, du but, du contraste, de l'opposition, de l'atténua-tion, de l'hypothèse, de la comparaison.

- On trouvera aussi dans *Le français et les sciences* (Biblio. 9), une typologie très complexe et opératoire des articula-tions logiques ainsi qu'une série d'exercices diversifiés pour aboutir à une meilleure maîtrise de ces termes.
- Enfin, voir tableau en *Annexe 1*. On pourra prévoir des exercices de formulation d'énoncés intégrant les différents connecteurs qui expriment une même nuance globale afin d'en faire percevoir les différences d'utilisation.

c) *La notion de paragraphe.* Définition, construction, fonc-tions et types de paragraphes. Voir pp. 82 à 84.

- Exercices : G. Niquet, *Ecrire avec logique et clarté* (Biblio. 23), pp. 18-37.
- Sur les termes d'articulation du paragraphe : G. Niquet, *Structurer sa pensée; structurer sa phrase* (Biblio. 24), pp. 115-120.

d) *Les grandes parties du texte discursif* : introduction, développement, conclusion. La transition, la conclusion partielle : voir texte analysé en *Annexe 3* et pp. 61 à 64.

- Exercices : G. Niquet (Biblio. 24), pp. 102-109 et 156-159.

II. L'ARGUMENTATION

a) *Le fait, la constatation, le jugement* : définition, diffé-rences et rapports; leur rôle, leur utilisation dans l'argumentation.

- Voir pp. 34 à 36 et 41 à 44.
- Voir aussi *Carrefour 4. Le français en 4e année* (Biblio. 58), pp. 168-172 et L. Bellenger (Biblio. 13), pp. 45-49.

b) *Les notions abstraites* : définition et analyse.

- Voir pp. 39-41 et Cocula et Peyroutet (Biblio. 16), pp. 190-196 (étude d'une notion et confrontation de deux notions).

c) *Les différences entre l'énoncé* d'un fait ou d'un jugement *et son explication.*

- Exercices : G. Niquet, *Du paragraphe à l'essai* (Biblio. 39), pp. 4-15 et 16-27.

d) **La notion d'argument**; différences entre argumentation et persuasion.
- Voir pp. 7-8 et 34-36

e) Les grands types d'arguments et leur valeur
- Voir Ch. Perelman, *L'Empire rhétorique* (Biblio. 25), pp. 69-138.
- L. Bellenger (Biblio. 13), pp. 16-73.
- Ol. Reboul (Biblio. 56), pp. 165-193.
- Voir aussi pp. 39 à 53.

III. LES ÉTAPES DE LA RÉALISATION

a) *Décodage d'énoncés brefs*; analyse et compréhension des termes en contexte; reformulation plus explicite, rigoureuse; détermination d'une problématique.

Ce type d'exercice en combine plusieurs autres (définition, analyse des présupposés ...) et s'avère particulièrement important lorsque le sujet de dissertation est donné sous forme de citation.

b) *Recherche des idées et des faits*
- Établir un plan de recherche (pp. 36-39).
- Rassembler des faits et les exploiter (pp. 44-47).
- Consulter des sources; les exploiter (dégager les idées qui concernent le sujet; les analyser; les mettre en rapport avec la problématique traitée; les intégrer à sa propre réflexion).

c) *Etablir un plan de texte* (pp. 59 et sv.)
- Pour un travail sur des textes présentant différents types de plans, voir *Le résumé 2. Approche logique des textes argumentés* (Biblio. 49).
- Différents types de progression possibles (pp. 66-73).
- Idées principales, idées secondaires (p. 63).

d) *L'essai, la dissertation*
- Ressemblances et différences.
- Voir pp. 9, 117 et sv., *Annexe 4.*
- Voir aussi G. Niquet, *Du paragraphe à l'essai* (Biblio. 39).
- Développement d'une opinion; essai plaidoyer; essai critique.

ANNEXE 7

Grille d'évaluation pour la dissertation[1]

1. Compréhension et exploitation du sujet   *Evaluation*

I. Avoir analysé correctement les termes du sujet.   1 2 3 4

II. En avoir tiré une problématique intéressante.   1 2 3 4

III. Avoir traité le sujet précisément tel qu'il est posé.   1 2 3 4

IV. Avoir donné au sujet une extension suffisante.   1 2 3 4

Et le cas échéant :

V. Avoir compris les présupposés
et l'origine de la question.   1 2 3 4

VI. Avoir situé son lieu de référence.   1 2 3 4

VII. S'être interrogé sur son rapport à l'histoire.   1 2 3 4

2. Réflexion

I. Avoir formulé un certain nombre d'idées précises et pertinentes (et non des lieux communs, des généralités).   1 2 3 4

---

1. Voir de Peretti, A et al., *Recueil d'instruments et de processus d'évaluation formative*, tome I, pp. 83-84 (Biblio.43).

II. Avoir bien délimité les idées importantes
et en avoir poussé la logique jusqu'à son terme. ☐1 ☐2 ☐3 ☐4

III. Avoir intégré des références bien commentées
à des faits significatifs. ☐1 ☐2 ☐3 ☐4

IV. Avoir progressivement élaboré une réponse
à la question posée (cohérence). ☐1 ☐2 ☐3 ☐4

V. Ne pas avoir sous-estimé les thèses opposées
à celle que l'on défend; avoir compris
qu'elles peuvent être pensées. ☐1 ☐2 ☐3 ☐4

VI. Avoir, le cas échéant, bien exploité la documentation utilisée. ☐1 ☐2 ☐3 ☐4

3. *Organisation et rédaction*

I. Avoir clairement posé le problème
dans l'introduction. ☐1 ☐2 ☐3 ☐4

II. Avoir équilibré les parties et soigné
les transitions. ☐1 ☐2 ☐3 ☐4

III. Avoir traité une idée par alinéa; l'avoir
développée de manière cohérente. ☐1 ☐2 ☐3 ☐4

IV. Avoir utilisé à bon escient les mots de liaison. ☐1 ☐2 ☐3 ☐4

V. Avoir rédigé une conclusion
qui propose un bilan de la réflexion. ☐1 ☐2 ☐3 ☐4

VI. Avoir rédigé la dissertation
dans une langue correcte. ☐1 ☐2 ☐3 ☐4

VII. Avoir rédigé la dissertation
dans un style concis et précis. ☐1 ☐2 ☐3 ☐4

ANNEXE 8

Liste des sujets cités dans ce manuel

1. Précisez et évaluez les éléments d'optimisme et les manifestations de pessimisme quant à l'évolution de notre civilisation.

2. Définir les grands axes moraux de l'oeuvre de B. Vian.

3. «Envier le bonheur d'autrui, c'est folie ; on ne saurait pas s'en servir. Le bonheur ne se veut pas tout fait mais sur mesure» André Gide. Expliquez et commentez.[1]

4. «Le barbare, c'est d'abord celui qui croit à la barbarie» Lévi-Strauss.

5. Que pensez-vous du personnage de Meursault (dans *L'Etranger* de Camus) ?

6. Un écrivain contemporain déclare : «C'est une profonde erreur de porter un roman à l'écran». Partagez-vous ce sentiment ?

7. «Le cinéma est un amusement d'ilotes, un passe-temps d'illettrés» G. Duhamel.

---

1. La consigne est identique pour tous les sujets qui se présentent sous la forme d'une citation sauf si d'autres indications sont données.

8. «Toute éducation digne de ce nom est forcément dangereuse»
   Louis Néel.

9. «Oui! Mille fois oui! La poésie est un cri mais c'est un cri
   HABILLÉ (!)» Max Jacob.

10. «Belle fonction à assumer, celle d'inquiéteur. De ce monde si
    imparfait, et qui pourrait être si beau, honni celui qui se
    contente! L'*ainsi soit-il,* dès qu'il favorise une carence, est
    impie» A. Gide.

11. «Pour qu'une chose soit intéressante, il suffit de la regarder
    longtemps» M. Proust.

12. Les mères deviennent de plus en plus lucides devant la mater-
    nité. Est-ce là votre avis ?

13. Faites voir que le théâtre classique obéit à des règles générales.

14. Quels plaisirs et quels profits peut-on tirer de la lecture d'un
    bon roman ?[1]

15. *1984* d'Orwell raconte l'histoire du dernier homme. Déve-
    lopper.

16. «L'enfer, c'est de ne plus aimer» Bernanos.

17. Faites l'étude du personnage de Meursault.

18. La pollution est-elle, selon vous, une des fatalités du monde
    moderne ?[1]

19. «Il y aura toujours des âmes artistes à qui les tableaux d'Ingres
    ou de Delacroix sembleront plus utiles que les chemins de fer
    ou les bateaux à vapeur» Th. Gautier.

20. Si vous aviez à incarner, à l'écran ou sur une scène, un person-
    nage de la littérature, lequel choisiriez-vous ? Pourquoi ? Com-
    ment l'interpréteriez-vous ?[1]

21. Lecture et voyage. Deux modes de formation et de loisir appa-
    remment bien différents. Expliquez le profit et l'agrément que
    vous pouvez retirer de chacun d'eux.[1]

22. «Le roman n'est plus l'écriture d'une aventure mais l'aventure
    d'une écriture». Expliquez et commentez cette affirmation de
    J. Ricardou, à propos du roman contemporain.

23. «Belle fonction à assumer, celle d'inquiéteur» A. Gide. Expli-
    quez cette formule en vous référant à la littérature.

---

1. Sujets cités dans *Du plan à la dissertation.* (Biblio. 33).

24. «Améliorer la vie matérielle, c'est améliorer la vie; faites les hommes heureux, vous les faites meilleurs» V. Hugo. Expliquez et discutez.

25. «Familles, je vous hais!». Approuvez-vous ce célèbre anathème qu'André Gide lança dans les *Nourritures terrestres,* en 1897 ?

26. «La publicité est l'ultime violence du monde moderne en ce qu'elle tend à nous faire désirer l'indésirable»[1]

27. «La lecture est au seuil de la vie spirituelle : elle peut nous y introduire; elle ne la constitue pas» M. Proust.

28. «On sait qu'un des effets du tourisme, là où il atteint sa plus grande densité, est la destruction de la beauté, de la poésie, de la solitude, dans les régions sur lesquelles il se répand»[1]

29. L'intérêt que vous prenez aux oeuvres littéraires et cinématographiques se limite-t-il à la découverte des personnages qu'elles mettent en scène ?

---

1. Sujets cités dans *Du plan à la dissertation* (Biblio. 33).

RÉFÉRENCES BIBLIOGRAPHIQUES

1. *Ouvrages concernant la langue*

   1. *Le Grand Robert de la langue française. Dictionnaire alphabétique et analogique de la langue française.* Deuxième édition revue et enrichie par Alain Rey. Paris, 1985, 9 vol.

   2. *Trésor de la langue française. Dictionnaire de la langue du XIXe et du XXe siècle (1789-1960).* Publié sous la direction de Paul Imbs. Paris, Ed. du C.N.R.S., 1971-1994, 16 vol.

   3. *Le Nouveau Petit Robert. Dictionnaire alphabétique et analogique de la langue française.* Nouvelle édition remaniée et amplifiée sous la direction de J. Rey-Debove et A. Rey du Petit Robert par Paul Robert, Paris, Le Robert, 1993.

   4. Grevisse M., *Le Bon usage. Grammaire française.* Refondue par André Goosse, Treizième édition. Paris – Gembloux, Duculot, 1993.

   5. Grevisse M., *Le français correct. Guide pratique.* Préface d'André Chamson de l'Académie française. Quatrième édition. Paris – Louvain-la-Neuve, Duculot, 1989, 440 p.

   6. Grevisse M., Goosse A., *Nouvelle Grammaire française.* Troisième édition. Paris – Louvain-la-Neuve, Duculot, 384 p.

   7. Hanse J., *Nouveau dictionnaire des difficultés du français moderne.* Deuxième édition mise à jour et enrichie. Paris – Gembloux, Duculot, 1993.

8. Colignon J.-P. et Berthier P.-V., *Pièges du langage*. Tomes 1 et 2. Paris – Gembloux, Duculot, 3ᵉ éd., 1996 (coll. «Entre Guillemets»).

9. Dalcq A.-E., Van Raemdonck D. et Wilmet B., *Le français et les sciences. Méthode de français scientifique avec lexique, index, exercices et corrigés*. Paris – Louvain-la-Neuve, Duculot, 1989, 223 p.

10. Doppagne A., *La bonne ponctuation : clarté, précision, efficacité de vos phrases*. Paris – Gembloux, Duculot, 2ᵉ éd., 1984 (coll. «L'esprit des mots»).

2. *Ouvrages concernant l'expression écrite et l'argumentation*

11. Arenilla-Béros A., *Améliorez votre style*. Paris, Hatier, t.1, 1978, t.2, 1983 (coll. «Profil formation»).

12. Beacco J.-CL. et Darot M., *Analyses de discours. Lecture et expression*. Paris, Hachette-Larousse, 1984, 175 p. (coll. «Le Français dans le monde»).

13. Bellenger L., *L'Argumentation*. Paris Ed. E.S.F., 4ᵉ éd., 1992 (coll. «Formation permanente en sciences humaines»).

14. Boulard J.-G., *Pensée, expression et communication*. Dossier *Actualquarto*, n° 29, déc. 1983, 103 p.

15. Charmeux E., *L'écriture à l'école*. Paris, CEDIC, 1983, 194 p.

16. Cocula B. et Peyroutet Cl., *Didactique de l'expression*. Ed. Delagrave, nouv. éd. 1989, 319 p. (Coll. «G. Belloc»).

17. Colignon J.-P. et Berthier P.-V., *La Pratique du style*. Paris – Gembloux, Duculot, 3ᵉ éd., 1996, 90 p. (Coll. «Entre Guillemets»).

18. Combettes B., *Pour une grammaire textuelle. La progression thématique*. Bruxelles – Gembloux, De Boeck-Duculot, 1988, 139 p. (série «Formation continuée»).

19. Fossion A. et Laurent J.-P., *Pour comprendre les lectures nouvelles. Linguistique et pratiques textuelles*. Bruxelles, Paris – Gembloux, De Boeck-Duculot, 1981, 168 p. (série «Formation continuée»).

20. *Français 5/6*, Collectif sous la direction de Chr. Cherdon, A. Fossion et J.-P. Laurent. Tomes A et B. Bruxelles – Gembloux, De Boeck-Duculot, 1982 et 1983.

21. Hella A., *Précis de l'argumentation*. Bruxelles, Fernand Nathan, Labor, 1983, 158 p.

22. Laurent J.-P., *Rédiger pour convaincre, 15 conseils pour une écriture efficace*. Paris – Gembloux, Duculot, 2ᵉ éd., 1984, 96 p. (Coll. «L'esprit des mots»).

23. Niquet G., *Ecrire avec logique et clarté. 50 exercices*. Paris, Hatier, 1992 (Coll. «Profil formation»).

24. Niquet G., *Structurer sa pensée. Structurer sa phrase. Techniques d'expression orale et écrite*. Formation continue, niveau supérieur. Paris, Hachette, 1987, 254 p.

25. Perelman Ch., *L'Empire rhétorique. Rhétorique et argumentation*. Paris, Librairie philosophique Vrin, 1977, 196 p.

26. Richaudeau Fr., *Le langage efficace*. Paris, Marabout, 1973, 300 p.

27. Timbal-Duclaux L., *L'Expression écrite. Ecrire pour communiquer*. Paris, Ed. E.S.F., 1981 (Coll. «Formation permanente en sciences humaines»).

3. *Ouvrages concernant la dissertation*

28. Benac H., *Guide des idées littéraires*. Paris, Hachette, 1974. 431 p. (Coll. «Faire le point»).

29. Benac H. et Réaute Br., *Nouveau vocabulaire de la dissertation et des études littéraires*. Paris, Hachette, 1988, 254 p. (Coll. «Faire le point»).

30. Boissonnault P., Faffard R., Gadbois V., *La dissertation. Outil de pensée. Outil de communication*. Ed. La lignée, 1980, 255 p.

31. Chassang A. et Senninger Ch., *La Dissertation littéraire générale*. Paris, Hachette, 1992, 2 vol.

32. Colson J., *Le Dissertoire. De l'art de raisonner et de rédiger*. Bruxelles, De Boeck, Saint-Martin, 4ᵉ éd., 1991, 125 p.

33. Desalmand P. et Tort P., *Du plan à la dissertation. La Dissertation française aux baccalauréats et aux concours administratifs*. Paris, Hatier, 1977, 157 p. (Coll. «Profil formation»).

34. Desalmand P. et Guillemoteau R., *Bonnes Copies de bac. Français : dissertation, essai littéraire*. Tome 1. Paris, Hatier, 1977, 160 p. (Coll. «Profil formation»).

35. *Français 5/6.* Tome B., Cfr. n° 19, pp. 32 à 61.

36. Guedon J.-Fr. et Promeyrat L., *Les clés de la composition française.* Paris, Marabout, 1987, 287 p.

37. Gicquel B., *L'Explication de textes et la dissertation.* Paris, P.U.F., 1979, 128 p. (Coll. «Que sais-je ?», n° 1805).

38. Laloup J., *Traité de dissertation.* Paris-Liège, Dessain, 1965, 176 p.

39. Niquet G., *Du paragraphe à l'essai.* Paris, Hatier, 1989, 80 p. (Coll. «Profil formation»).

40. Pirie D. B., *How to write critical essays. A Guide for students of literature.* London – New York, Methuen, 1985.

41. Tort P. et Valle S., *Bonnes Copies de bac. Français : dissertation, essai littéraire.* Tome 2. Paris, Hatier, 1980, 160 p. (Coll. «Profil formation»).

42. Yaiche Fr., *400 citations expliquées.* Paris, Hatier, 80 p. (Coll. «Profil formation»).

4. **Divers**

43. de Peretti A. *et al., Recueil d'instruments et de processus d'évolution formative.* Paris, I.N.R.P., 1980, tome I.

44. *Enjeux.* Revue de didactique du français, n° 5, printemps 1984, CEDOCEF, Facultés universitaires de Namur, Ed. Labor-Nathan.

45. *Enseigner le français. Littérature,* n° 19, oct. 1975. Paris, Larousse.

46. *Question(s) de méthode. Comment étudier à l'université ?* Association des services d'aide. Orientation et Consultation Psychologique et Pédagogique, ASAL et CCO, Université Catholique de Louvain, rue des Wallons, 10, 1348 Louvain-la-Neuve, 10e éd., 1995.

5. **Mise à jour pour les deuxième et troisième éditions**

47. Angenot M., *La parole pamphlétaire. Contribution à la typologie des discours modernes.* Paris, Payot, 1982.

48. Boissinot A., Lasserre A.-M., *Techniques du français. 1. Lire – Argumenter – Rédiger.* Toulouse, Bertrand-Lacoste, 1989.

49. Cloes Chr. et Rolin Y., *Le résumé 2. Approche logique des textes argumentés*. Bruxelles, Dessain – De Boeck et Larcier, 1995.

50. Darras Fr., Daunay B., Delcambre Is., Vanseveren M.P., *Apprentissage de la dissertation 3e/2e*. C.R.D.P. de Lille, 1994.

51. Delforce B., «Approches didactiques de la production d'un écrit "fonctionnel" : les difficultés de la dissertation», dans *Pratiques,* n° 48, déc. 1985, pp. 35-52.

52. *Encyclopaedia Universalis.* Thésaurus (Dieudonné-Lâtaveda). Paris, Encyclopaedia Universalis, 1990.

53. *Enjeux.* Revue de didactique du français, n° 21, décembre 1990, n° 33, décembre 1994. Voir aussi le n° 11 de la même revue.

54. Lindenlauf N., *Savoir lire les textes argumentés,* Paris – Louvain-la-Neuve, Duculot, 1990, 128 p. (Coll. «L'esprit des mots»).

55. Lits M., *L'Essai. Vade-mecum du professeur de français et Textes pour la classe de français*, Bruxelles, Didier-Hatier, 1994, 2 vol. (coll. «Séquences»).

56. *Pratiques,* Metz, n° 68, décembre 1990, n° 73, mars 1992 et n° 75, septembre 1992 (numéros entièrement consacrés à l'argumentation et à la dissertation).

57. Reboul Ol., *Introduction à la rhétorique. Théorie et pratique,* Paris, P.U.F., 1991.

58. Robaye R., *Introduction à la logique et à l'argumentation,* Namur – Louvain-la-Neuve, Erasme Académia, Pédasup n° 16, 1991, 139 p.

59. Schoonejans M. et *alii, Carrefour 4. Le français en 4e année.* Bruxelles, De Boeck-Wesmael (Département Dessain), 1995.

TABLE DES MATIÈRES

Remarques

Ce manuel contient beaucoup d'explications et de justifications théoriques et méthodologiques. Celles-ci ont semblé nécessaires pour favoriser une réflexion sur la portée et les exigences de la dissertation.

Il pourra être utilisé de différentes manières, selon le moment et le besoin (lecture attentive, recours occasionnel à tel ou tel chapitre, à tel ou tel type de remarque), pourvu que l'on soit attentif à l'optique générale qui a guidé la rédaction de ces pages. Celle-ci se voit précisée dans l'introduction.

Pour chacun des aspects, chacune des étapes de la démarche exposée ici, des exercices adaptés, parfois très brefs, permettront aux apprenants de s'approprier la notion ou l'opération concernée. Il importe en effet, pour ne pas les décourager, de travailler de manière très progressive et de faire précéder la phase de rédaction par des exercices oraux de décodage de sujets et de consignes, de prise de notes lors d'un échange ou d'un débat, d'élaboration d'une structure textuelle, etc. L'écriture d'un texte est l'aboutissement d'un processus d'élaboration complexe dont chaque phase demande une attention spécifique.